Angelika Klüssendorf
Jahre später

Angelika
Klüssendorf

Jahre später

Roman

Kiepenheuer
& Witsch

Die Autorin bedankt sich
beim Deutschen Literaturfonds Darmstadt
für die Förderung dieses Buches.

Verlag Kiepenheuer & Witsch, FSC®-N001512

4. Auflage 2018

Umschlaggestaltung: Rudolf Linn, Köln
Umschlagmotiv: © plainpicture/Hannes S. Altmann
Foto der Autorin: © Gene Glover
Gesetzt aus der Stempel Garamond
Satz: Felder KölnBerlin
Druck und Bindung: CPI books GmbH, Leck
ISBN 978-3-462-04776-9

Für Torsten, Anna und Jakob

Wenn man sein Gewissen dressiert,
so küsst es uns zugleich, indem es beißt.

FRIEDRICH NIETZSCHE

Teil 1

Ludwig

Trotz ihrer Unruhe fällt ihr der Mann auf, der sich einige Stuhlreihen vor ihr umgedreht hat und sie anstarrt, er beschirmt sogar die Augen mit der Hand. April tut so, als bemerke sie ihn nicht, sie hält ihn für den Hausverwalter, sein Anzug wirkt schäbig, er dreht einen Schlüsselbund auf dem Zeigefinger. Vielleicht ist er ein Dichter, keine Ahnung. Weit auseinanderliegende Augen in einem Kindergesicht – er sieht einfach nicht weg. April betrachtet ihre gebräunten Beine, zu dünn, überlegt sie, und was sie hier macht und wie sie hier wieder rauskommt, an diesem schönen Tag. Sie stellt sich vor, sie säße in einem Garten. Stattdessen ist sie in einer großen Galerie auf der Reeperbahn und soll Texte aus ihrer Untergrundmappe vorlesen. Das Motto des heutigen Abends: Kunst als Medizin. Sie ist die Jüngste unter den Vortragenden, es kostet sie Mühe, sich ihre Schüchternheit nicht anmerken zu lassen. Neben ihr Julius, gerade elf geworden, der mit geschlossenen Augen Bob Dylan auf seinem neuen Walkman

11

hört. Nachdem April gelesen hat, fragt ein älterer Herr, warum sie, hübsch und jung, so schreckliche Sachen schreibe. Der Hausverwalter mit dem Kindergesicht steht auf und weist ihn barsch zurecht.

Als sie später das Restaurant nebenan betritt, sitzt er schon neben ihrem Sohn und hat seine Kopfhörer auf. Sie geht zu einem anderen Tisch, trinkt ein Glas Wein, verliert ihre Schüchternheit, redet mit einem Assistenzarzt, der sie an eine Romanfigur erinnert, aber welche, fällt ihr nicht ein. Doch dann kommt der Mann mit dem Kindergesicht, fordert ihren Gesprächspartner mit einer Handbewegung auf, sich zu erheben, und nimmt wie selbstverständlich dessen Platz ein. Was für ein aufgeblasener Fatzke, denkt sie, während er sich vorstellt – Ludwig, Chirurg – und beginnt, Fragen zu stellen. Verärgert von seinem Auftreten, antwortet sie knapp und mit unterdrücktem Groll: Ihr Lieblingsschriftsteller sei Beckett.

Herr im Himmel, sagt Ludwig, Beckett sei auch sein Liebling, er habe ihn erst kürzlich besucht und könne, wann immer April wolle, ein Treffen für sie arrangieren.

Beckett ist keine Touristenattraktion, antwortet sie, unsicher, ob er es ernst meint oder nur einen Scherz mit ihr macht.

Ludwig scheint vorsichtiger zu werden, wägt seine Worte ab, fragt sie nach ihrer Arbeit, bewundert ihren Mut, das sei doch sicher schwierig gewesen, sagt er, Untergrundmappen in der DDR herauszugeben. Sie erklärt ihm, dass es eher Langeweile war als ein politisches Gewissen, selbst ihre Ausreise vor ein paar Jahren war der klappernden Öde geschuldet. Er bewundert sie erneut, diesmal für ihre Bescheidenheit. Er zeigt sich erstaunt über die Auswahl der Bücher, die sie gelesen hat, teilt ihre Begeisterung für Sizilien, die brandenburgischen Landschaften, überhaupt mag er den ganzen Osten. Sein rostrotes Haar ist am Ansatz gelichtet, die Sommersprossen auf seiner linken Hand ähneln einem Fischschwarm, er trägt einen Siegelring am kleinen Finger. Als sie sich verabschieden, hat sie seine Adresse, Telefonnummer und die Einladung angenommen, am nächsten Nachmittag mit ihm im Café Einstein einen Espresso zu trinken, er sei ohnehin in Berlin.

Anderntags ruft ihr Freund an, der sie unbedingt treffen will. Sie vergisst, Ludwig abzusagen. Mit ihrem Freund ist das so eine Sache – April weiß, dass die Beziehung am Ende ist, schafft es aber nicht, ihn zu verlassen.

Monate später fällt die Mauer und Beckett ist tot. Sie schreibt Ludwig eine Karte und fragt ihn nach Becketts Todesstunde.

Scheißreich, aber anständig

Ludwig schreibt ihr täglich, nennt sie sein Mädchen. Sechs Monate sind seit ihrer Postkarte vergangen. Er hat ihr eine Erstausgabe von »Warten auf Godot« mit Widmung des Autors geschenkt. Sie sitzen am Ufer der Spree, hoch über ihren Köpfen ein Schwarm Wildenten, die Flügelschläge lassen Ludwig kurz innehalten, bevor er ihr weiter vorliest, Geschichten von Truman Capote – April versucht ihn für Gedichte von Johannes Bobrowski zu begeistern. Später hält er ihre Hand, weißt du, sagt er, und dann weiß er nicht weiter.

Als Ludwig nach einem Flug aus Hongkong in Hamburg landet, setzt er sich sofort ins Auto, fährt nach Berlin, klingelt nachts an ihrer Tür und sagt: Ich will nie mehr ohne dich sein.

Aus Hamburg ruft er sie stündlich an, spielt ihr seine Lieblingssongs vor; es sind nicht ihre Songs. Als er ihr erzählt, dass er nicht mehr schlafen kann, nicht arbeiten, nur liebeskrank auf seinem Bett liege und an sie denke, ist sie geschmeichelt, aber auch erschrocken über sein Tempo. Einmal spät in der Nacht sagt sie: Ich bin todmüde, lass mich schlafen.

Warum überhaupt Ludwig, fragt ihr Freund Keller. Gestandene Männer sind doch nicht dein Beuteschema.

Er ist erwachsen, antwortet sie.

Was immer das bedeutet, sagt Keller.

———————

Ihre erste gemeinsame Reise ist eine Fahrradtour durch Mecklenburg. Sie fahren auf staubigen Landstraßen, Kastanienalleen – über sich Dächer aus zartem Grün –, übernachten in Pensionen und Privatunterkünften. Aprils Eltern haben hier als Saisonkellner gearbeitet, sie kann noch immer die Gerüche abrufen oder Eidechsen vor sich sehen, die im papiertrocknen Gestrüpp rascheln, sie kann sich Melodien aus Tönen und Wörtern vergegenwärtigen, aus denen ein Sommertag entsteht, das fauchende Pfeifen einer Lokomotive. Doch es ist Ludwig, der überall Geschichtsspuren entdeckt, sich sicher ist, dass die Gespräche, die er zufällig belauscht, geheime Botschaften enthalten. Er referiert über Friedrich II., über Ferdinand Sauerbruch; die Hälfte der Charité war bei der Stasi, weiß er zu berichten. April begreift, dass ihm ihre Geschichte zu fremd und glanzlos vorkommt. Er muss sie ausschmücken, um sie für sich bedeutsam zu machen. Ludwig interessiert sich für Gott und die Welt, er zeigt auf Flugzeuge am Himmel und weiß ihr Ziel, sie diskutieren über

15

Politik, Kunst, Religion, selbst beim Kartenspiel kennt er erstaunliche Tricks.

Sie fährt schneller, lässt ihn hinter sich, wartet auf den kaum befahrenen Alleen und träumt. Hier in dieser Landschaft ist sie wieder vierzehn, spinnenbeinig, ein Weberknecht. In »Brehms Tierleben« steht, dass Spinnen scheue und unstete Tiere sind, auch das passt zu ihr. Lange hat sie ihrer Mutter geglaubt, dass sie nie von jemandem begehrt werden würde – bestenfalls bekäme sie einen alten, kranken Mann ab, der sie nur deshalb ertrüge, weil sie ihn pflegte. Als sich Männer für sie zu interessieren begonnen hatten, war April misstrauisch geblieben, denn es konnte auch eine Falle sein, ein Irrtum. Nun ist sie dreißig und weiß immer noch nicht, was gut oder schlecht für sie ist. Sie kann es nicht fühlen. Ludwig fragt nach ihrem Leben und wünscht sich Antworten, die ihn erstaunen, aber nicht verstören sollen; das begreift sie intuitiv und hält sich daran.

Warme Luft im Rücken, setzt sie zum Endspurt an, lässt sich kurz vor dem nächsten Ort zurückfallen und wartet auf Ludwig. Ihm ist anzusehen, dass er die Nase voll hat von ihrem Tempo, den Schotterstraßen, dem schlechten Kaffee in den Gaststätten. Doch er versucht, sich nichts anmerken zu lassen. Steht er vor ihr, atmet er schwungvoll aus und küsst sie. Während er sich vor Abneigung schüttelt, wenn sie an grau verputzten Einfamilienhäusern vorbeifahren, fühlt sie sich angezogen von dem Leben hinter diesen Fenstern, es scheint eine festgefügte Ordnung zu haben, einen Sinn, der nicht infrage gestellt werden muss. Ludwig hat ihr von seinen Eltern erzählt, die Millionen im Kohlehandel verdient haben, seine Mutter trage weiße lange Kleider und sein Vater züchte nebenbei Pferde. Es gibt den Bruder, über den er nur flüsternd spricht: ein hohes Tier bei der NATO. Ludwig trifft sich an geheimen Orten mit ihm, niemand dürfe wissen, wo er sich gerade aufhält, und sie solle ihn, um Gottes willen, niemals erwähnen, auch später, vor seinen Eltern nicht. April schwört, was nichts bedeutet, sie schwört seit ihrer Kindheit und erdet ab, indem sie die Finger hinter ihrem Rücken kreuzt.

Sie bringt Ludwig bei, Ringe zu rauchen, auf zwei Fingern zu pfeifen, er klaut aus dem Konsum eine Flasche Stonsdorfer, sie zeigt den Autofahrern ihren nackten Hintern. Er freut sich, wenn sie Portionen für Bauarbeiter verspeist und immer noch hungrig ist – noch nie hat sich jemand über ihren Hunger gefreut. Er sagt, sie bringe ihn zum Lachen, selbst wenn sie schlafe, ihre Daumen fest in den Fäusten verschlossen.

––––––––––

April und Julius wohnen in einer Erdgeschosswohnung mit Balkon und einem winzigen Vorgarten im Wedding. Sie arbeitet als Kellnerin, Putzfrau und Blumenverkäuferin. Sie versucht zu schreiben, hört bis in die frühen Morgenstunden Captain Beefheart, David Bowie, nicht selten kommt wegen der Lautstärke die Polizei. Sie telefoniert stundenlang mit ihrer Freundin Marie, obwohl sie nur drei Stockwerke über ihr wohnt.

Nachts ziehen sie gemeinsam um die Häuser, treffen sich in einer Eckkneipe, von dort aus geht es in den Dschungel, ins Kumpelnest, in die Berlinbar. Maries Tochter übernachtet bei Julius, und wenn April frühmorgens nach Hause kommt, schlafen die Kinder auf der Couch vor dem Fernseher.

Es gibt Wochen und Monate, da ist sie eine verlässliche Mutter, die früh am Schreibtisch sitzt, nachmittags mit Julius Hausaufgaben macht, bis es sie wieder hinaustreibt – Schuldgefühle konkurrieren mit Sehnsüchten, die sich stets durchsetzen.

Sie arbeitet mit Keller ein letztes Mal ihr Manuskript durch. Ihr bester Freund ist Lektor in einem großen Verlag, er regt sich auf, wenn sie zu kitschig wird, einmal hat er eine Seite wütend durchgestrichen und Hausfrauenprosa mit zehn Ausrufezeichen an den Rand geschrieben. April hat Zweifel an ihren Worten: Warum soll jemand von A nach B gehen, warum jemand atmen? Sie kommt sich wie eine Hochstaplerin beim Schreiben vor. Doch Keller kann sie alles erzählen, so wie sie es sich selbst erzählen würde, nichts ist ihr vor ihm peinlich, seine Kindheit ähnelt ihrer, auch das verbindet sie.

Wenn sie daran denkt, dass sie bald ihr erstes Buch in den Händen halten wird, stellt sie sich die Gesichter ihrer Klassenkameraden von damals vor: Rippchen, Gerippe, Speiche hat ein Buch geschrieben? Der Gedanke daran freut sie. April hat ihrem Verleger von ihrer Kindheit erzählt, er wünscht sich, dass sie darüber schreibt. Sie findet diesen Einfall lächerlich, wer will schon etwas über ihr Leben lesen? Baum, ein Literaturkritiker, lädt sie zu Theaterpremieren ein, sie sehen Inszenierungen von Peter Stein, er empfiehlt ihr »Das große Heft« von Agota Kristof, das sie immer wieder liest und ihren Freunden schenkt.

Im letzten Sommer war sie zum ersten Mal in der Toscana gewesen, auf Einladung eines Stifters. Bei der Petrarca-Preisverleihung hatte sie den Dichter Jan Skácel kennengelernt, der ebenso wenig zum Small Talk fähig war wie sie. Was sollte sie auch auf die Frage, ob sie froh sei, endlich im Westen zu sein, antworten? Einmal, im Übergang zur blauen Stunde, hatten alle geschwiegen, und Skácel sagte: Jetzt reden die Dichter, und deutete auf die singenden Vögel in den Bäumen. Ihr Tischnachbar, ein kleiner, vitaler Mann, nahm während einer Vorspeise ihre Hand und sagte: Diese Hand soll nie wieder putzen; sobald er den Satz ausgesprochen hatte, stellte sie sich die Gesichter ihrer Freunde vor, wenn sie ihnen davon erzählen würde. Es war verwirrend, der ganze Pomp, die Schönheit der Städte und Landschaften – April empfand sich immer als Außenseiterin, egal, wo sie war.

Nun gibt es Ludwig und er ist in sie verliebt. Er kommt, sooft er kann, von Hamburg nach Berlin. April ist eine andere, wenn sie liebt. Noch fühlt sie sich sicher. Ludwigs Werben lässt sie gar nicht zum Luftholen kommen, macht sie übermütig. Sie traut sich sogar zu sagen: Lieb mich oder lieb mich nicht. Sie mag seinen Kindskopf, seine nie nachlassende Aufmerksamkeit. Mit Julius redet er über Fußball, in der Markthalle überzeugt er einen Verrückten davon, John Lennon zu sein, mit der Obstverkäuferin fachsimpelt er über die letzte Apfelernte. April mag auch sein geregeltes Einkommen; als er ihr vorschlägt, sie finanziell zu unterstützen – also keine Kneipenarbeit mehr –, ist sie einverstanden. Sie hört ihm gerne zu, wenn er von gelungenen Operationen erzählt, von Fehlschlägen, von Angstgefühlen und Euphorien. Er ist stolz darauf, Václav Havel zu kennen. Ob ihr der Name Tibor Klampár etwas sagt? Ein ungarischer Tischtennisspieler, in den Siebzigern der Weltbeste. Ludwig hat Fats Domino in New Orleans besucht, Derrida in Paris und Stephanos Geroulanos, einen berühmten griechischen Chirurgen, in Athen. Nun sitzt er also auf ihrem Balkon, und Marie zieht ohne April um die Häuser.

Ludwig ist kein Mann, der nächtelang tanzt oder seine Zeit im Freibad verbringt, er will *kuscheln*. Er sagt auch andere Worte, die sie nicht mag: *super* und *shoppen*. Er kann Gottfried Benn nicht ausstehen, weil der »nur so« expressionistische Gedichte geschrieben hat, und dass er Arzt war, ist ihm scheißegal. Ludwig schwitzt, trägt die falschen Klamotten, hat einen merkwürdigen Gang, trotzdem fühlt sie sich mit ihm auf eine Weise eingebunden ins Leben wie selten zuvor. Sie sind wie Kinder, denken sich komische Geschichten aus, rufen mit verstellten Stimmen fremde Leute an, versuchen in der Markthalle einen Hummer aus dem Bassin zu klauen; nach einem Gewitter sitzt sie nackt neben ihm im Kino. Es gibt eine alte Frau in ihrem Haus, die ständig herummeckert, Frau Ernste. Bevor Ludwig zu einer Tagung nach Tokio aufbricht, entfernt er ihr Türschild und schickt es ihr mit einem Brief.

Sehr verehrtes Frau Ernste!

Ich Ihnen persönlich schreibe, weil sehr großes Entsetzen heute hier. Bitte sehr!

Vergebung für schlechtes Gedeutsch. Viele, viele Danke. Heute geöffnet Tresor in meine große Firma. Geschreckt! In Tresor gefunden Türschild von Frau Ernste aus Berlin.

Woher? Warum? Ist sehr schlimm, wer Türschild stiehlt, weil Name in Japan sein heilig. Name alles. Bitte Frau Ernste uns nicht verfluchen. Bin sehr reich und alle tot, aber studiert in Berlin. Nie nix verstanden, aber gute bockige Wurst an Halle gern verspeist. Möchte mich Frau Ernste hier besuchen? Scheißreich, aber anständig.

Verbeugung vor ihnen.

Glück! Glück!

Ihr Shiro Sho

Frau Ernste erscheint schon bald mit weißen Söckchen und neuer Frisur auf der Straße, und auch wenn ihr die Anstrengung anzusehen ist: Sie lächelt.

———

Ludwig schreibt April, dass er ein Kind mit ihr will. Er verziert seine Briefe mit Zeichnungen und Ausrufezeichen für seine Wünsche. Sie soll den Stamm des Rotdorns küssen, einen Wellensittich aus dem Zoogeschäft befreien. Er sät Sonnenblumenkerne in ihrem Vorgarten aus, wirft Münzen in den Brunnen, schenkt ihr winzige Diamanten in einem Samtbeutel. Das alles Zeichen für ihr zukünftiges Kind. Wenn sie miteinander schlafen, sieht er ihr in die Augen, als wolle er mit ihr verschmelzen, aber mehr noch, als müsse er sich in der Spiegelung vergewissern, dass er überhaupt existiert. Er scheint sich selbst ganz und gar unvertraut. Auch sie ist sich unvertraut. Gibt es die Möglichkeit, dass zwei Unvertraute miteinander vertraut werden?

April fühlt sich alt und zugleich auf Probe für das wirkliche Leben. Für Ludwig ist höchstens der Tod eine feststehende Größe. Er glaubt nicht an Gott und war doch fasziniert von der Nahtoderfahrung eines Patienten, der ihm nach einer stundenlangen OP detailgenau den Hergang schildern konnte. Ludwig saugt jede verwertbare Information auf, es ist beinahe unmöglich, seinem Enthusiasmus zu entgehen.

Als sie ihm im Spaß sagt, sie hätte lieber einen richtigen Kerl, einen Bauarbeiter, der sich schmutzig macht, quittiert er diese kleine Unverschämtheit, indem er auf ihren Ausflügen alle fünfzig Kilometer das Auto parkt, den Ölstand prüft und sich dabei die Hände einschmiert. April weiß nicht, ob er wirklich glaubt, dass sie ihn nicht durchschauen würde: Er zeigt ihr seine dreckigen Hände und lacht. Sie sind ein Liebespaar.

April lacht, wenn er lacht, und er ist traurig, wenn sie es ist. Ludwig versucht, ihr Autofahren beizubringen, doch schon nach wenigen Versuchen hält sie den abgerissenen Schaltknauf in der Hand. Er geht mit ihr wandern, obwohl er es hasst, zeigt ihr Pilze mit der Wirkung von LSD, er hat einige Drogen ausprobiert; Ludwig kann Routine nicht ausstehen. Während einer Reise nach Wien wird sie von einer Wespe gestochen, ihr rechter Fuß schwillt auf Elefantenfußgröße an, er gibt ihr eine Spritze, die sie zwei Tage im Hotel durchschlafen lässt. Abends sitzt er an ihrem Bett, und auch wenn sie nicht ganz wach ist, hört sie doch seine Stimme, die ihr zärtlich flüsternd von seinen Erlebnissen berichtet; von der langweiligen Ärztetagung, einem Friedhofsbesuch, wo er eine Zigarre auf das Grab des berühmten Chirurgen Theodor Billroth gelegt hat, mit Grüßen von April. Er ist von allem entzückt, was sie tut, selbst der Wespenstich erscheint ihm einzigartig und so, als habe sie ihn gewollt. April ist überwältigt, für kurze Momente glaubt sie sogar, es würde ihr zustehen, dieses Glück.

———

Wenn Julius vor ihr steht und versucht, ein kleiner tapferer Krieger zu sein, sieht sie nur seine Wut und die Traurigkeit darüber, dass sie es nicht schafft, so für ihn da zu sein, wie er es sich wünscht. Seine Art zu sprechen, seine Mimik ähnelt immer mehr der seines Vaters. Sie ist froh, wenn Julius die Ferien bei ihm verbringt.

April ist zu sehr mit sich selbst beschäftigt, mit ihren Dämonen, die überall lauern. Da ist die wütende Panikdame mit dem Gesicht ihrer Mutter. Wenn sie außer sich ist, nennt April sie eine gemeine Fotze, was dieser offenbar gefällt; die ängstliche Panikdame treibt sie hinaus auf die Straßen, und April läuft, getrieben von Angst, läuft hierhin, läuft dorthin, ohne Ziel. Der väterliche Dämon tritt ein, ohne anzuklopfen, als sei er ihr bester Kumpel. Er zeigt ihr breit grinsend seine gelben Raucherzähne, öffnet Aprils Bierflaschen, trinkt selbst die härteren Sachen – immer steckt eine brennende Zigarette in seinem Mundwinkel, und der Rauch ist wie warme, sie umhüllende Atemluft. Es ist so beruhigend, ein Niemand, ein Nichts zu sein, nicht kämpfen zu müssen, damit einem das Schlimmste erspart bleibt.

Ihre Dämonen machen auch Julius Angst. Es ist ihm peinlich, wenn April mit ihm und seinen Freunden wild durch die Straßen tobt, sie spielen Gummitwist und Verstecken, und seine Mutter will die Beste sein. Wenn seine Freunde bei ihm schlafen, gibt sie sich Mühe beim Abendessen, bereitet die Eier so zu, dass sie wie Fliegenpilze aussehen und Radieschen wie Rosen. Hat Julius Streit mit seinen Freunden, sorgt April dafür, dass sie sich vertragen. Darin ist sie gut, in den kleinen Dingen, doch sie schafft es nicht, im Alltag für ihren Sohn da zu sein.

Durch Ludwig ist sie ruhiger geworden, er scheint ihre Dämonen einzuschüchtern. Wenn sie durch Mecklenburg wandern, versuchen sie einander mit zärtlichen und grausamen Geschichten zu beeindrucken.

Im Zooladen hat sie den Vogelkäfig geöffnet und Wellensittiche freigelassen; als sie ihm davon erzählt, ist sein Lachen anerkennend, aber auch überrascht.

Als der Rotdorn längst verblüht ist, der Stamm zu kalt, um ihn zu küssen, macht April einen Schwangerschaftstest. Sie sitzen in der Badewanne, als sie es Ludwig sagt. Seine Freude ist groß und ansteckend; vielleicht ist es ja möglich, denkt April, eine Familie.

———————

Heirat. Das ist Ludwigs nächster Plan. Was will April? Ihr Buch ist erschienen, die Kritiken sind gut. Doch sie spürt weder Freude noch Stolz, als wäre sie gar nicht gemeint. Der eigene Erfolg macht sie misstrauisch. Alles nur schöner kalter Schein, denkt sie, irgendwann kommt die wahre April wieder zum Vorschein, hässlich und heimatlos. Heimatlos bedeutet, dass sie sich nirgends einrichten darf, sie muss auf dem Sprung sein, wenn die Vergangenheit sie einholt.

Ludwig nennt sie wahrhaftig, klug, sexy – und eine begabte Schriftstellerin; von ihm ausgesprochen, bekommen die Worte für die Dauer eines Wimpernschlags Gewicht, bevor ihnen die Luft wieder ausgeht. Wer ist die Frau, die sie im Spiegel ansieht? Die Männer loben ihre Haut – wird sie durch die Komplimente schöner? Sie ist eine fünfzig Kilo leichte Bohnenstange, trägt immer noch Trainingshosen unter den Jeans, um dicker zu wirken. Sie selbst redet sich mit dem Nachnamen an, wie Ludwig, der sich auch gerne mal Hitler, Churchill oder Haarmann nennt.

Warum willst du mich heiraten, fragt sie.

Einer seiner vielen Gründe ist ihre Unfähigkeit, eine Tussi zu sein. April ist nicht klar, was er damit meint.

Seine Antwort macht sie noch ratloser: Tussis wollen heiraten, wollen das ganze Programm.

Dann bist du eine Tussi, sagt sie, eine männliche Tussi.

Er prustet ungläubig los. Sie ist sich sicher, dass hinter seinem Lachen noch ein Lachen steckt, dann noch eins und noch eins.

Ludwig streichelt stundenlang ihren Bauch, während sie seinen Geschichten aus der Klinik lauscht. Einem Patienten hat er nach der OP gesagt: Aufwachen! Sie haben über hundert Jahre geschlafen. Wir haben bereits das zweiundzwanzigste Jahrhundert. Er kommt ihr vor wie ein General zahlreicher Schlachten, wenn er erzählt. Manchmal wölbt er seine Handflächen und sagt: Hier sitzt du, in meinen Händen, ich werde dich immer beschützen. Je größer ihr Bauch wird, desto weiter verschiebt sich die Realität. Sie trinken Kakao, essen Sauerkraut und Bratwürste, verwandeln das Bett in eine Höhle, lesen den »Räuber Hotzenplotz«, werden kleiner und kleiner, während Julius sie misstrauisch beobachtet. Einerseits genießt er das geregelte Familienleben, andererseits scheint ihr kindisches Getue ihn zu bedrohen.

Sie heiraten an einem verregneten Vormittag im Wedding. Aprils Trauzeuge ist ein alter Bekannter aus Leipzig mit schrägem Humor: Habt ihr euch das wirklich gut überlegt, fragt er. Ich habe dreimal geheiratet, immer ein Fiasko, rettet euch, solange ihr könnt. Retten, wohin, denkt April und lacht lauter, als sie will. Ludwigs Trauzeuge heißt Max, ein Kindheitsfreund. Die beiden spielen sich jahrelang eingeübte Bälle zu, doch obwohl sie kichern, sich bemühen, ironisch zu klingen, meint April zu spüren, dass sie sich nicht ganz geheuer sind. Schließlich Julius, der aussieht, als gehe er auf eine Beerdigung, sein Gesichtsausdruck bedauernd und wütend: Verräterin, du hast meinen Vater verlassen.

Die Standesbeamtin kippelt lustlos mit ihrem Stuhl, eine böse graue Maus. April hört eine Taube gurren, denkt an ihre Mutter, die bei der Hochzeit mit Aprils Stiefvater ein silbernes Kleid getragen hat, das ihr schon damals wie eine Rüstung vorgekommen ist. Rechts von ihr sitzt Ludwig, links Julius. Die Worte der Standesbeamtin gleiten an April vorbei, Sonnengefunkel durchbricht die dunkle Wolkenfront, ihr Blick streift das Gesicht ihres Bräutigams. Es ist das Gesicht eines Mannes, der gerade den Mount Everest bestiegen hat und nun endlich weiterwill. Das will ich auch, hätte sie am liebsten laut gesagt. Als sie unterschreiben soll, hat April ihren neuen Namen vergessen und unterschreibt mit einem kunstvollen Gekrakel. Danach frühstücken sie in einem Café, nicht weit vom Standesamt. April fühlt sich wie eine Fremde, die vorgibt, hier geboren zu sein, bekommt keinen Bissen herunter. Als ihre Trauzeugen aufbrechen, will auch Julius gehen. Bleib doch noch, sagt April, obwohl sie erleichtert ist.

Nein, das will ich nicht, sagt er in einem Ton, als bemühe er sich, geduldig mit ihr zu sein.

Auf der Straße überkommt sie ein Glücksgefühl, sie ist eine verheiratete Frau und nichts hat sich verändert. Kurz denkt sie, ich kann abhauen, wenn es schiefläuft, ich kann immer noch abhauen.

Ludwig ruft seine Mutter an. Er umklammert den Hörer wie ein Kind, hält die Tür der Telefonzelle einen Spaltbreit geöffnet, und April hört ihn sagen: Glaub es oder glaub es nicht, dein Sohn hat heute geheiratet. Er wiederholt den Satz, grimassiert für April, doch er sieht nicht lustig dabei aus. Nach dem Gespräch steht er eine Weile wortlos da, zündet sich eine Zigarette an.

Alles in Ordnung, fragt sie.

Er nickt, nimmt einen tiefen Zug.

Warum hattest du ihr nichts von unserer Hochzeit erzählt?

Warum sollte ich, sagt er, ist doch lustig.

April verspürt einen Stich; ihr fällt nicht ein, was sie darauf entgegnen könnte.

Sie haben keinen Plan für den Tag. April schlägt vor, in den Zoo zu gehen. Im Nachttierhaus betrachtet sie die bewegungslos von der Decke hängenden Fledermäuse, denkt an »Brehms Tierleben« und erinnert sich, dass Fledermäuse genauso lange wie Menschen trächtig sind. Während sie durch das Dämmerlicht gehen, berichtet Ludwig von seinen Abenteuern als Pilot. Er macht mit der Hand einen Sturzflug nach, sagt: Das war eine schwierige Notlandung, sie hätte mich das Leben kosten können.

Hunger

April liegt auf dem Bett in der Marilyn-Monroe-Honeymoon-Suite; hier haben Tony Curtis und Jack Lemmon als Josephine und Daphne um Sugar alias Kane Kowalczyk gestritten. Sie fragt sich, ob das nicht eine Nummer zu groß für sie ist, in diesem Zimmer zu frühstücken, wo Marilyn ihre Fußnägel lackiert und Filmgeschichte gemacht hatte. Die Marilyn-Monroe-Honeymoon-Suite, direkt am Meer, ist Ludwigs Hochzeitsgeschenk gewesen, und April hat es nicht übers Herz gebracht, ihm zu sagen, wie sehr sie das ganze amerikanische Theater einschüchtert. Frühmorgens läuft sie allein durch den feinen weißen kalifornischen Sand und wünscht sich, in dem Spalt zwischen Wasser und Horizont zu verschwinden. Ihr Bauch wölbt sich unter dem Kleid, sie übt ein kurzes amerikanisches Auflachen.

April ist wütend, weil sie es nicht schafft, easy going zu sein, und verabscheut sich gleichzeitig dafür, es sein zu wollen. Easy going, sagt Ludwig zu ihr – dann sei du ein russischer Bauer, antwortet sie. Missverständnisse, weil sie aus dem Osten kommt? Oder umgekehrt? Ludwig betrachtet sie amüsiert, wenn er ihre Unsicherheiten bemerkt, als hätte April sie sich für ihn ausgedacht. Sie kann kein Englisch und lässt Ludwig das Essen bestellen. Sie fragt sich, ob ihr Hunger in Amerika noch größer geworden ist. In den vergangenen Tagen hat sie etliche XL-Burger gegessen. Während Ludwig nach dem Frühstück duscht, isst sie die Reste von seinem Teller. Sie hat darauf bestanden, nur auf dem Zimmer oder unterwegs zu essen. Im Restaurant kommt sie sich vor wie eine Promenadenmischung zwischen Königspudeln. Die Amerikanerinnen mit ihren schönen weißen Zähnen, die so selbstsicher die Gabeln zum Mund führen, völlig gelassen ihre Cola light bestellen, kauen, reden und gleichzeitig trinken, sind für sie Gestalten aus einer anderen Welt.

Sie fahren in einem Mietwagen in Richtung Sierra Nevada. April verschläft die ganze Fahrt; als sie aufwacht, ist es bereits Abend. Ludwig parkt das Auto, sie steigt aus und hat das Gefühl von schwindelerregender Orientierungslosigkeit – dann erblickt sie die Wüste. Die Stille reicht bis zu den roten Rändern des Himmels.

Sie reisen weiter nach New York. Die Fluggesellschaft hat eine mexikanische Woche ausgerufen, während des Fluges isst sie Käse-Enchiladas, Tortillas und Chili-Burritos. Überwältigt von ihrem Hunger, nimmt sie das Essen gleichmütig lächelnd zu sich. Als sie in New York landen, kann April sich kaum mehr bewegen. Es überrascht sie, wie straff ihr Kleid über den Hüften

31

sitzt. Sie spürt einen Brechreiz, und als Ludwig nach einem Taxi ruft, übergibt sie sich auf der Straße Richtung Downtown.

Nach ihrer Rückkehr besuchen sie zum ersten Mal seine Eltern. April sieht aus dem Autofenster, links und rechts verschneite Siedlungshäuser. Dort, sagt Ludwig und zeigt auf den Kastanienbaum, von dem habe ich dir erzählt. Die Gegend kommt ihr wie eingeschlafen vor und die Schneewehen auf der Straße wirken, als wären sie jemandem vor langer Zeit aus der Hand gefallen. Er hält vor einem frei stehenden Haus. Sie spürt Ludwigs Nervosität, streicht ihm tröstend über die Wange, sie ahnt doch längst, dass seine Mutter keine langen weißen Kleider trägt.

Ludwig versucht, mannhaft zu sein, und ist doch nur ein Junge. Sogar seine Stimme wird höher. Ist sie nicht hübsch, fragt er und weist auf April wie vorher auf den Kastanienbaum.

Ja, sagt seine Mutter.

Es ist, als würde er sich dem kleinen, engen Haus anpassen, dem Klima seiner Kindheit. April beobachtet die jahrelang erprobte Annäherungsroutine von Mutter und Sohn, ein regressives Spiel, das Ludwig mag.

Du hättest anrufen sollen, sagt seine Mutter.

April sieht ihn als Kind durch die Räume streifen, in Erwartung, irgendetwas Schreckliches, etwas Großes würde passieren, ein Sturm, der ihn davontrug. Das Profil seiner Mutter könnte auf einer Münze sein, mit dem Wust von blondiertem Haar, hochgetürmt zu einem seltsamen Nest.

Ludwig öffnet den Kühlschrank. Ich habe Hunger, sagt er und fasst sich an den Bauch.

Verhangenes Licht füllt das Wohnzimmer aus. Neben einem roten Ledersofa stehen zwei große Holzengel, April versucht sich vorzustellen, wie Ludwig sie als Kind betrachtet hat.

Sie trinken Mezzo Mix und essen Kartoffelsalat, Ludwigs Mutter erzählt, lacht und seufzt; das Seufzen klingt vergnügt und abgeklärt. Sie erzählt von ihrer reichen Freundin aus Moskau, ihrem Fitnessklub, den Mühen des Alltags. Sie deutet stolz auf das Sofa: Schau, April, hab ich aus dem Sperrmüll.

Hör auf, sagt Ludwig, doch er sagt es so, als würde es ihm gefallen.

Ist doch lustig, antwortet sie.

Ein grauhaariger Mann betritt das Zimmer. Er steht reglos da, blassblaue Augen, er sieht weder alt noch jung aus; da bist du ja endlich, sagt Ludwigs Mutter.

Sein Vater gibt April die Hand, begrüßt seinen Sohn und nimmt neben ihm Platz. Ludwigs Mutter setzt das Geplänkel fort, erzählt von ihren Schnäppchenjagden, fragt, ob es ein Junge oder Mädchen wird, warum Ludwig vorher nichts von der Heirat erzählt hat. In ihrer Stimme liegt kein Vorwurf, eher hat sie etwas Mäanderndes, als ginge es nur darum, nicht zu schweigen. Die Bereitschaft des Vaters, sich am Gespräch zu betei-

ligen, scheint gering zu sein. Als seine Frau vorwurfsvoll sagt: Mein Mann interessiert sich nicht für mich,
nie begleitet er mich in den Fitnessklub, lieber sitzt
er auf dem Dachboden, weiß Gott, was er da treibt,
schließt er die Augen, als würde ihn eine besänftigende
Dunkelheit erwarten.

Ludwig wirft ihr einen Blick zu, der wohl bedeutet:
Siehst du, Familie!

Doch dann lacht sein Vater, es ist ein verlegenes Lachen, er tut ihr leid.

Sie denkt, so werden wir nie.

Ludwig zeigt ihr sein Zimmer, es ist winzig, auf dem
Bett ein Zierkissen mit seinem Namen. Das Schlimmste war die Langeweile, sagt er.

Nach der Tagesschau gehen sie auf den Dachboden.
Ludwigs Vater sitzt vor seinem Schreibtisch wie ein
Veteran, der seine Tätigkeit bis zum Tod nicht mehr
unterbrechen wird. Sie versucht sich vorzustellen, was
ihm einmal Freude bereitet haben könnte. Wie ist er zu
dem betrübten Menschen geworden, der sich in diesen
Ort zurückgezogen hat? Er beantwortet Ludwigs Fragen entschieden, freundlich und selbstbewusst. Er will
von seinem Sohn ernst genommen werden. Dann stellt
er das Radio an, ein Hörspiel wird gesendet.

———————

Hamburg. Die Wohnung liegt im vierten Stock an einer
großen Kreuzung und riecht nach Büro. Der winzige

34

Balkon ist mit einem Taubenschutz abgedeckt. Sie verschweigt Ludwig, dass sie die Wohnung nicht mag, drei Wochen nach der Besichtigung ziehen sie ein.

Julius ist wütend. Seine Mutter hat über ihn verfügt, als wäre er ein Ding. Ach, hör schon auf, sagt April, mach die Augen zu und stell dir vor, du bist in Berlin. Julius sieht sie an, als wäre sie völlig abgedreht. Er bekommt ein größeres Kinderzimmer, ein neues Fahrrad, doch er ignoriert Ludwigs halbherzige Freundschaftsversuche. Er ist in der Pubertät, ohne dass April den Übergang bemerkt hat; für ihn scheint sie plötzlich vom Mars zu kommen oder sich nur als seine Mutter auszugeben.

Aprils Hormone spielen verrückt, schon morgens vorm Spiegel fährt sie sich mit wütenden Bürstenstrichen durchs Haar, beißt sich in die Hände, wenn niemand es sieht. Auch ihre zweite Schwangerschaft ist nicht so, wie April es sich erträumt hat. Sie will anmutig sein, Babysachen stricken, voller Elan arbeiten und vor allem noch mehr Fett ansetzen. In ihren Augen ist sie noch immer viel zu dünn.

Von ihrem Fenster sieht sie, wie sich im Altersheim gesichtslose Menschen im Neonlicht bewegen. Manchmal meint sie in der Stille ihres Zimmers die Geräusche der Alten zu hören. Vom Wohnzimmer tritt sie auf den winzigen Balkon, mit Blick auf die große, vierspurige Kreuzung. April ist eine andere in dieser Wohnung, in dieser Stadt. Sie ist eine jener Frauen, die sie nicht mag, eine Frau, die nach ihrem Mann Ausschau hält. Selbst wenn Ludwig nach einer Not-OP mitternachts nach Hause kommt, ist der Abendbrottisch gedeckt.

Sie hat sich nie für Horrorfilme interessiert, doch seit Ludwig täglich neue VHS-Kassetten aus der Videothek mitbringt, freut sich April schon morgens auf das abendliche Gruseln; so kann sie sich von Ludwig beschützen lassen, ohne seinen Schutz einfordern zu müssen. Einer seiner Lieblingsfilme ist »Frankensteins Höllenmonster«, an seinem geöffneten Schädel versucht er, April die Funktionsweisen des Gehirns zu erklären. Sie seufzt schockiert, stößt kleine Schreie aus, und Ludwig nimmt sie tröstend in die Arme. Sie essen Chips und Lakritze. Lakritze besteht aus Pferdeblut hat es in ihrer Kindheit geheißen.

Eines Tages erscheinen die nächtlichen Filmgeister April schon gegen Mittag. Riff Raff sitzt müde lächelnd am Frühstückstisch, und Laura Mars tritt ihr aus dem Spiegel entgegen. Was für ein tadelloses Wetter, sagt sie und deutet auf das geöffnete Fenster, hinter dem der Regen zu hören ist.

April erinnert sich, wie Laura Mars in ihrem Film den Mörder tötete und der Geliebte mit ihm starb. Du hättest den Mörder zähmen sollen, sagt sie zu ihr.

Ach was. Laura Mars nimmt ihr langes Haar, steckt es lässig hoch und sieht in den Spiegel. Verdammte Augenringe, hast du einen Abdeckstift?

Wer bist du? Laura Mars oder Faye Dunaway?

Was macht das für einen Unterschied?

April deutet auf Riff Raff. Der da ist gefährlich, sagt sie.

Männer, antwortet Faye. Wenn es darauf ankommt, schlafen sie.

Sie reden über alles Mögliche. Erst als Julius klingelt, verschwinden ihre Gäste, geisterhaft, wie es sich gehört. April versucht, in der Traumblase zu verharren, doch die zarte Membran zerreißt in dem Augenblick, als sie mit ihrem Sohn zu reden beginnt. Wie war die Schule? Hast du Hunger? Dann beginnt sie zu weinen, Sturzbäche fließen über ihr klägliches Leben; sie erzählt ihm von ihrer Einsamkeit, am liebsten würde sie sich aufhängen, jeden Tag, ihr Körper würde sich wie ein Stein anfühlen, schwer und kalt. Sie meint seine unausgesprochenen Fragen zu hören: Dafür haben wir Berlin verlassen? Damit du hier rumheulst?

Bis zum Abend wird sie wieder normal sein, das heißt Normalität imitieren können. Doch was ist schon normal, außer einer Körpertemperatur von 37 Grad? Seit sie in Hamburg wohnen, fühlt sich April ungeliebt. Doch Ludwig ihre Bedürftigkeit zu zeigen, käme ihr wie eine Schmach vor. Sie vermisst Berlin. April ist in einer Art Nacht-und-Nebel-Aktion verschwunden, ist einfach abgehauen, hat das Leben in Berlin wie eine alte Haut abgestreift und weiß nun nicht, wohin mit ihrer Sehnsucht. Berlin war ihr Zuhause, in dem sie einen Alltag mit Freunden hatte, das scheint ihr hier unmöglich – Ludwig hat kein Interesse an ihren Freunden, und sie setzt sich nicht darüber hinweg, weil sie ihn schonen will, und versinkt lieber in ihrem Friedhofsgefühl.

37

Sie kennt niemanden in Hamburg und verspürt auch nicht das Bedürfnis, irgendwen kennenzulernen. Noch immer übergibt sie sich nach dem Aufstehen, danach isst sie Aufbaunahrung aus der Apotheke, verschlingt Schokolade, gezuckerte Pfirsiche, stopft sich mit Chips voll, trinkt Sahne, literweise Fanta und Cola. Sie hortet Lebensmittel, als stehe ein Krieg kurz bevor. Sie kauft Mandarinen und Blutorangen wegen der dünnen bedruckten Papiere, die um die Schale gewickelt sind, und legt sie in ein Buch. Sie zeigt die Orangenpapiere Julius.

Warum machst du das, fragt er.

Für später, sagt April, die werden mal was wert sein.

Sie schaut stundenlang hinüber ins Altersheim. Telefoniert ab und an mit Keller, will ihn besuchen. Doch schon eine Stunde später sagt sie ihm wieder ab; sie zerknallt dabei kleine Blasen in einer Luftpolsterfolie.

Was machst du da, fragt Keller.

Nichts, antwortet sie.

Das weiß ich, sagt er. Du würdest ein gutes Fossil abgeben.

Aus welcher Zeit, fragt sie.

Nachdem sie »Rosemaries Baby« gesehen haben, sitzt Rosemarie anderntags in ihrer Küche. Riff Raff schläft wie üblich, den Kopf auf der Tischplatte, davor sein Laserschwert. Faye ist schon da, die beiden Frauen tragen denselben roten Lippenstift, gähnen synchron –

zwei sehr ansehnliche Geschosse. Rosemarie streicht sich über den Bauch und fragt: Wann ist es so weit?

In drei Wochen.

Junge oder Mädchen?

Junge.

Warum richtest du die Wohnung nicht schöner ein, fragt sie.

Dann kannst du dich besser verstecken, wenn du abends auf deinen Mann wartest. Faye kichert und schaut sie herausfordernd an.

Ich warte aus Liebe, sagt April.

Mein Gott, wie scheinheilig. Faye verdreht die Augen.

Geht es euch nie so, fragt April. Ihr wisst, es ist falsch, und könnt doch nicht anders?

Du musst nicht so viel erwarten. Rosemarie wiegt sich träge hin und her. Es ist doch ein zauberhafter Tag.

Ja, ein zauberhafter Tag. Was stellen wir mit ihm an? Faye läuft durch die Küche. Einen Drink? Sie sieht in ihre Richtung, greift sich ins Haar, hält plötzlich ein Cocktailglas in der Hand. Wie ist dein Mann so?

Ein guter Mensch, sagte April.

Ich dachte, er ist Chirurg, erwidert Faye.

––––––––––

An einem dieser Nachmittage wie aus Zement, die nie in den Abend übergehen, beginnen die Wehen. Die Hand gegen den Rücken gepresst, starrt April aus dem Fenster, ohne etwas wahrzunehmen. Ihr fällt ein, dass

sie als Kind geglaubt hat, die Babys kämen aus dem
Arsch, dass man vom Küssen schwanger wird, dass
Gott alles sieht. Die Wehen werden heftiger, sie ruft
Ludwig an.

Im Taxi streichelt er sie, flüstert zärtliche Worte,
überprüft die Abstände zwischen den Wehen. Er verspricht ihr, der Mann zu sein, den sie sich wünscht. Ich
werde ein russischer Bauer sein, sagt er, eine Kolchose
mit dir gründen, ich mache alles, was du willst.

Der Kreißsaal kommt April vor wie ein schaukeln-
des Schiff. Sie sitzt in einer Wanne mit lauwarmem
Wasser, atmet, wie die Hebamme es ihr vormacht; nein,
sie war in keinem Schwangerschaftskurs, antwortet sie
mit gequälter Stimme. Noch ist der Schmerz ein lang-
samer Tanz. Sie taucht mit dem Kopf unter Wasser,
kommt hoch, taucht wieder unter. Stunden später fährt
ihr der Schmerz rücklings in die Eingeweide. Die Luft
bekommt den unverkennbaren Geruch von Metall,
und noch während sie versucht, eine gute Gebärende
zu sein, schlagen ihre Schreie Haken durch das Zimmer.
Riff Raff berührt sie mit seinem Laserschwert. Rosemarie schaut mitfühlend. Der Schmerz ist das Auge
eines Zyklopen, April ist der Zyklop, sie ist sein Auge,
ihr Vater singt mit betrunkener Stimme. Nach dem Ende einer Wehe sieht sie kurz klar: Ludwigs Kindergesicht uralt vor Sorge, Ärzte um sie herum, die Hebamme scheint ihr etwas zuzurufen. In der nächsten Wehe
ist April der Schmerz, schreit wie in einem Horrorfilm
tief aus sich heraus: Mutter, du hattest recht. Faye
sprüht ihr Zitronenparfüm ins Gesicht. Ludwig wird

ohnmächtig. Das Baby kommt mit einem Schluckauf zur Welt und einem wunderschönen Horn, es ist eine Zangengeburt.

Sie nennen ihn Samuel. Im frühen Tageslicht schiebt eine gütige Macht die Wände zur Seite. Sie sitzen auf einer Wiese, Sam zwischen sich, nur wenige Stunden alt. Ludwig sagt: Stell dir vor, meine Kollegen würden erfahren, dass ich ohnmächtig geworden bin.

Sie hören zu, wie Sam atmet, versprechen sich, ihn zu hegen und zu pflegen. Sie wollen leicht bleiben, sich unerschrocken lieben.

Schon mal Austern gegessen?

Ludwig bringt ihr Lieblingskleid ins Krankenhaus, doch es passt nicht mal über ihre Schultern. April ist entgangen, wie sehr sich ihr Körper verändert hat. Die ersten Tage und Nächte mit Sam kommen dem Glück sehr nahe. Sam ähnelt einem Husarensohn, lange schwarze Koteletten, dunkler Flaum auf dem Rücken – wenn ihr Vater ihn doch sehen könnte. Das wünscht sie sich: Großvater und Großmutter, ein Gedanke, der zu nichts führt, dennoch füllt er ihre kalten Hohlräume mit Wärme. Sie umstehen das Körbchen, in dem Sam liegt, und lauschen seinen Atemzügen; Ludwig, Julius, April – eine Familie.

Sie glaubt, dass es nun vorbei ist mit den kleinen Streitereien, dass es nicht mehr wichtig ist, wer recht hat und wer nicht. Doch der Alltag mit seinen Erschütterungen trudelt wieder ein. Die magischen Stunden lösen sich auf, die Geister kehren zurück. In den nächsten Wochen schiebt sie den Kinderwagen durch die Straßen und versucht etwas vom Glück der vergangenen Tage zu retten. April trägt kurze Hosen, Bauarbeiter pfeifen ihr hinterher. Sie kommt sich heiß vor, begehrenswert – bis die Verkäuferin im Fleischerladen fragt, wann es so weit ist, und auf ihren Bauch deutet. Im Spiegel sieht April eine Frau, die ihr gefällt: stramme Schenkel, Lenden aus Fleisch; endlich ist sie nicht mehr dünn. Die Waage zeigt nun statt fünfzig siebzig Kilo an. Sie fühlt sich zum ersten Mal wohl in ihrer Haut, doch unter den Blicken der anderen beginnt sie, die Schwere ihres Körpers zu spüren. Trotzdem lässt ihr Hunger nicht nach. Selbst Faye kommentiert ihre Leibesfülle: Du weißt, dass Völlerei eine Todsünde ist?

Nach dem Abendessen setzt sich Ludwig vor den Computer. Er sagt, er müsse arbeiten. Einmal, spätabends, bleibt sie im Türrahmen stehen und beobachtet, wie er Flugzeuge vom Himmel holt, Bomben abwirft. Nach einer Weile dreht er sich um, sieht April an, als würde er sie nicht erkennen.

Sam schläft sofort ein, wenn sie ihm nachts die Brust gibt, aber sobald sie ihn ins Bett bringen will, wacht er auf. Müdigkeit macht ihre Gedanken schwer wie Blei, wenn sie versucht zu schreiben; die großen Themen erscheinen ihr weit weg, sie ist besetzt von ihrer kleinen Welt, stillen, Windeln wechseln, Nahrung zubereiten, die richtigen und falschen Blicke von Ludwig unterscheiden. Sie diskutiert mit Faye und Rosemarie, wertet mit ihnen die Tage aus, nie sind sie zufrieden mit ihr.

Deck abends nicht den Tisch, geh es locker an, rasier dir die Beine, sagt Faye.

Rosemarie hält dagegen: Sei so, wie du bist.

Doch so zu sein, wie sie ist, bedeutet, von nichts eine Ahnung zu haben. Nicht zu wissen, dass der Mann, wenn er von der Arbeit kommt, seine Ruhe braucht. Er will kein Essen loben, vor allem will er nicht die Erwartung in den Augen seiner Frau sehen. Er will – scheiß drauf – am Computer sitzen, Mezzo Mix trinken, Zigaretten rauchen und seine Feinde vom Himmel holen.

Sogar Riff Raff äußert sich: Das ist ja wie in den Fünfzigern, zieh dir doch gleich einen Petticoat an.

Das weiß ich selbst, entgegnet April. Ludwig geht einmal durch die Wohnung und hinterlässt Chaos.

Besorg dir eine Putzfrau, sagt Faye.

Sie pflanzt Blumen auf dem Balkon, eine Taube hockt zwischen zwei Drahtspitzen, zerfleddert, mit gewölbter Brust. April klatscht in die Hände, sieht die Flügel der Taube im Licht aufblitzen, doch der Vogel kehrt stets zurück, als wolle er ihr etwas mitteilen.

An den Wochenenden setzen Ludwig und April ihre Spiele fort, die sie in Berlin begonnen haben. Sie rufen mit verstellten Stimmen Kollegen an, den Leiter der Chirurgie, Assistenzärzte, stellen Gehaltserhöhungen und Auszeichnungen in Aussicht; Ludwig kündigt einem Unfallchirurgen die Ankunft eines berühmten amerikanischen Kollegen an, der mit seiner Familie im Wohnwagen anreisen wird. Sie stiften Verwirrung, selbst ihr Trauzeuge Max fällt darauf herein, ihre Stimmenimitationen sind perfekt. April kann sogar die Stimmen von unbekannten Personen nachahmen, die

Ludwig ihr beschreibt. Diese Spiele sind ein Zufluchts-
ort, an dem sie unbekümmert sein können, kindlich
ausgelassene Komplizen. Es fällt April schwer, diesen
Ort wieder zu verlassen, sie findet nicht zurück. Ein
Gefühl großer Leere bleibt, während Ludwig sich am
Computer ins Kriegsgetümmel stürzt. Wichtig für die
Feinmotorik, sagt er, zeigt seine Hände und spreizt die
Finger.

April kommt sich wie eine Gefangene vor – doch wer
hat sie eingesperrt?

Warum schreibst du nicht, fragt Rosemarie.

Das Frauchen ist auf Krach aus, sagt Faye, braucht
einen Grund zum Abhauen.

Sie hat recht. April ist selbst erschrocken über die
Härte ihrer Worte, wenn sie die Streitigkeiten mit Dro-
hungen beendet: Es ist aus. Endgültig aus. Ich haue ab.
Sie wirft Ludwig vor, dass sie nicht zum Schreiben
kommt, doch das ist ein Vorwand. April fühlt sich
nicht zu Hause. Als sie Ludwig geheiratet hat, hatte sie
diffuse Vorstellungen von einem Familienleben, helle
Räume, in denen Geschirr klappert, die Sonne fällt auf
den gedeckten Frühstückstisch, Personen reden miteinander, lachen, tauschen sich über die Welt aus, doch
wenn sie sich die Szenen genauer betrachtet, sind die
Menschen darin Marionetten. Dies hier ist real: Ludwig verbringt seine Zeit vorm Computer, und sie denkt,
wenn sie ihn gewähren lässt, wird er sie lieben, so wie
am Anfang. Sie fragt ihn nach seinen Vorstellungen, er
öffnet beide Hände und sagt: Hier sitzt du drin.

Als sie mit Keller telefoniert, versucht er ihr zu erklä-

45

ren, dass *sie* es nicht schafft, ein lebendiges Leben zu führen. Ob das nicht ihre eigenen Worte gewesen seien: Ich schäme mich, auf der Welt zu sein.

Ja, antwortet sie.

————

Sie erwarten zum ersten Mal Besuch. Ludwig hat seinen Chef und ein paar Arbeitskollegen eingeladen. April blättert durch verschiedene Kochbücher und entscheidet sich dann doch für Spaghetti Arrabiata, ein Gericht, das ihr bisher Lob eingebracht hat. Julius hilft ihr bei den Vorbereitungen. Er wird heute bei einem Freund übernachten, und am liebsten würde er sofort abhauen.

Kannst du dich noch an die erste Begegnung mit Ludwig erinnern, fragt April, er wollte alles von dir wissen.

Julius nickt, blickt zum Fenster hinaus.

Du hast Bob Dylan gehört und warst stolz auf deinen Walkman.

Ja. Er schweigt, sagt dann: Hast du es vorher gewusst?

Was?

Dass er so ist? Er deutete auf Ludwigs Arbeitszimmer, aus dem laute Bombenexplosionen zu hören sind.

Nein, antwortet sie. Du kannst gehen.

Was ist denn los?

Nichts, sagt sie, du wolltest sowieso gehen.

Als Ludwig in die Küche kommt, sitzt sie zwischen

den Kochtöpfen und heult. Er tröstet sie halbherzig; ich hätte dir helfen sollen, sagt er und küsst ihre Stirn.

Als die Gäste eintreffen, hat sie das ganze Essen bereits auf den Tisch gestellt. Vorspeise, Hauptgericht, Dessert. Sie hat darüber nachgedacht, wie sie sich verhalten soll, und sich dann abwartend an den Tisch gesetzt, während Ludwig die Gäste hereinbittet. Nachdem alle Platz genommen und sie begrüßt haben, spricht sie wenig, beantwortet die Fragen einsilbig. Sie wünscht sich, Ludwigs Selbstsicherheit würde für sie beide reichen. Statt den Gesprächen zu folgen, überlegt sie, welche Überzeugungen sie hat, ob sie sich positionieren kann, und verwirft den Gedanken, aufzustehen und eine Ernst-Busch-Platte aufzulegen. Nach einem Glas Wein verlässt sie das Zimmer, kommt mit Sam im Arm zurück, und noch während die Männer pflichtbewusst Komplimente abgeben, denkt sie: Warum mach ich das nur, warum nur, warum? Die Spaghetti Arrabiata scheinen zu scharf zu sein, Ludwigs Chef hustet und schiebt den Teller von sich. April versucht aufmerksamer zuzuhören, vielleicht fällt ihr ja eine kluge Bemerkung ein. Sie hat kürzlich über eine Polarexpedition gelesen, aber wie soll sie das Gespräch darauf bringen? Dann erinnert sie sich an eine Geschichte, die auch Ludwig noch nicht kennt.

Sie fasst sie für sich kurz zusammen und wartet auf den richtigen Zeitpunkt – doch der kommt nicht. Sie sieht zu Ludwig und fragt: Schon mal Austern gegessen?

Sie muss die Frage wiederholen. Sie kann den Blick, den Ludwig ihr zuwirft, nicht deuten.

Also, beginnt sie, es war kurz nach dem Mauerfall, eine Freundin aus dem Osten wurde von einem Westdeutschen in ein Nobelrestaurant eingeladen. Er bestellte für sich ein Steak und für sie eine Portion Austern. Meine Freundin hatte noch nie Austern gegessen, und es war ihr peinlich, das zuzugeben. April stockt kurz, schaut in die Gesichter der Männer. Sie scheinen ihr aufmerksam zuzuhören, was Ludwig denkt, kann sie nicht einschätzen. Sie fährt fort: Nachdem die Austern gekommen waren, bestellte meine Freundin ein Getränk nach dem anderen und sagte zu ihrem Begleiter, sie würde später essen. Es dauerte ewig, bis er endlich einmal zur Toilette ging und sie die gesamte Portion Austern in ihrer Handtasche verschwinden lassen konnte. Ihr Begleiter kam zurück, sie wies lächelnd auf den leeren Teller und sagte, dass sie alles aufgegessen habe. Ich glaube, sie strich sich sogar über den Bauch.

Ludwig lacht laut, sein Chef fällt ein, sagt: Verrückte Geschichte.

Als die Gäste gegangen sind, hält Ludwig sie lange im Arm. Deswegen liebe ich dich, sagt er, weil du so bist, wie du bist.

———

Obwohl Ludwig oft erschöpft nach Hause kommt, beneidet sie ihn um seine Arbeit. Wenn sie seinen Nacken massiert, will sie hören, was er erlebt hat, doch er erzählt nicht wie früher von einem Tumor, der sich herauslösen ließ wie die Erbse aus der Schote, oder von einer oberschlauen Assistenzärztin; er ist müde, sagt: Routine, nichts als Routine. Schade, sagt sie, doch da sitzt er schon vor dem Computer, zeigt ihr seinen abweisenden Rücken.

April trinkt Kaffee mit ihren Geistern, putzt die Wohnung, macht Essen, kümmert sich um die Wäsche, und ihr Herz klopft da, wo es nicht hingehört, sie wünscht sich, tot zu sein. Nachmittags geht sie mit Sam auf den Spielplatz – er ist dabei, seine ersten Schritte zu lernen – und lässt dort den immer gleichen Film in ihrem Kopf ablaufen, mit einer Maschinengewehrsalve streckt sie Eltern und Kinder nieder, grüßt lächelnd die Toten.

Sam wird krank, er schreit, sie kann ihn nicht beruhigen. Ludwig ist auf einer Dienstreise, er diagnostiziert am Telefon eine Mittelohrentzündung, die Kinderärztin bestätigt seine Diagnose und verschreibt ein Antibiotikum. In den Nächten liegt Sam neben ihr, und während sie seinen Atem lauscht, stellt sich April vor, wie sie Heldentaten vollbringt. Einmal befreit sie ein KZ, indem sie ihr Leben gegen das der Häftlinge eintauscht, nur weiß sie nicht, was ihr Leben so wertvoll macht, dass die SS-Schergen überhaupt einen Tausch in Betracht ziehen würden.

Silvester verbringen sie auf dem Sofa und lesen; Julius ist bei seinem Vater, und Sam schläft. Es ist lange her, dass sie zu zweit einen Abend verbracht haben. Sie hören ein Klavierkonzert von Keith Jarrett, während draußen die Böller knallend die Luft zerfetzen. Die CD ist das Geschenk einer Patientin. In der Speisekammer stapeln sich Pralinen, Weinflaschen, sogar Stofftaschentücher und selbst gestrickte Socken hat Ludwig geschenkt bekommen. Ein Scheich ließ ihm zum Dank einen wertvollen Krummdolch von zwei Bediensteten überreichen, dabei hatte Ludwig ihm nur den Blinddarm entfernt. Sie kann sich nicht auf ihr Buch konzentrieren. Ihr ist zumute, als säße sie in einer nie enden wollenden Unterrichtsstunde. In einem Fach, das sie nicht kennt.

Ludwigs Chefarzt gibt ein Fest. Die Gäste sitzen an langen Tafeln in einem Raum, von dem sie sich nicht vorstellen kann, dass dort tagsüber eine Familie lebt. Während sie ihrem Tischnachbarn zuhört, versucht sie ihren Bauch einzuziehen und sich gleichzeitig darauf zu konzentrieren, das Besteck richtig zu halten. Sie findet es sehr freundlich, dass ihr Nachbar trotz ihrer kargen Antworten das Gespräch nicht aufgibt. Die Frauen sind herausgeputzt, Pagenschnitte und Perlenketten; Tussis, denkt sie, und manche Männerblicke machen April wütend: als wäre sie verfügbar, bloß weil sie nicht dazugehört. Wehmütig betrachtet sie Ludwig, der, wie immer von seinen Kollegen umringt, gerade in ein lautes Lachen ausbricht.

Sie versucht Englisch zu lernen, hört Sprachkassetten, doch sie kann sich kein einziges Wort merken. Ihr Gedächtnis ist wie ein Sieb, und ständig gehen ihr unwichtige Sachen durch den Kopf; ein Vogel klopfte an ihre Schädelwand, tick, tick, tick, sein Nest musste sich in einem Hohlraum befinden, irgendwo zwischen den Hirnhemisphären.

Faye sagt: Mach kein Drama draus, das geht uns allen so.

Nein, erwidert April, sogar Tussis können Englisch.

Du schaffst es schon, entgegnet Faye, hartnäckig gut gelaunt.

Wusstest du, dass die menschliche Seele in der Zirbeldrüse sitzt, fragt sie Ludwig.

Nach Descartes, sagt er.

Und deine?

Ach hör auf, antwortet er, die Seele ist nichts weiter als ein Geschnatter von Nervenzellen.

Um sich selbst zu verstehen, beginnt sie wieder, psychologische Bücher zu lesen. Als sie auf Kernberg stößt, fällt April auf, dass sie seine Sätze früher, achtzehnjährig, in ihr Heft übertragen hat. Begriffe wie »frei flottierende Angst« sind ihr bekannt. Die Angst ist längst ein Teil von ihr. Und das Gesicht der Angst ist wandelbar, hat sie sich an eines gewöhnt, kommt es ihr mit einem anderen entgegen. Erwartet April die Angst an der Haustür, tritt sie durch den Keller ein. Sie kann sich nicht erinnern, jemals frei von Angst gewesen zu sein. April schreibt in ihr Tagebuch: Glück ist die Abwesenheit von Angst.

Seit Sams Geburt haben sie keinen Sex mehr gehabt.

Hingabe ist für April mit Scham verbunden; in ihrer Seele sitzt ein Orchester aus beschädigten Spielern, die nur auf ihren Einsatz warten.

Funkelndes Sterben

April spürt die Anwesenheit der Geister stärker als ihre eigene. Sie sitzt mit Rosemarie am Küchentisch, Riff Raff schnarcht, Faye blättert in einer Zeitschrift. Licht fängt sich im Staub, der vom Boden aufsteigt. Der Nachmittag beginnt an den Rändern auszufransen. Sie kann nicht fassen, wie langsam die Stunden vergehen. Wann wird es endlich Abend, fragt sie.

Was soll dir die Dunkelheit bringen, erwidert Faye und lacht laut.

April wünscht sich andere Geister. Richtige Geister. Den Geist ihrer Großmutter? Eine zarte, nachgiebige Frau, die nach Mottenpulver roch. Sie behielt April in ihrer Obhut, teilte mit ihr das Bett, bis sie fünf war – und eines Morgens tot, schon kalt, als das Kind neben ihr erwachte. Lange Zeit hatte April versucht, eine Art Liebe für sie zu empfinden, hängte das Foto von ihr in jeder Wohnung auf, bis ihr klar wurde, dass sie das Gefühl für ihre Großmutter nur benutzte, um sich überhaupt einem Menschen nahe zu fühlen.

Ihren Vater ließ sie als Bohemien aus der verlorenen Welt auftauchen, ein Künstler, dem schöne Frauen Modell saßen, sein Hals stets mit Lippenstift beschmiert. Ein Vater, der Geschichten erzählen konnte, mit seiner Tochter in den Wald ging, um Pilze zu sammeln.

Hab ich da was falsch verstanden, fragt Faye.

April zuckt die Achseln.

Er hat deine Mutter verprügelt, gewürgt, bis sie keine Luft mehr bekam und blau anlief. Oder irre ich mich da?

Er hatte grünblau gesprenkelte Augen, entgegnet April, leuchtend vor Energie.

Er hat gesoffen wie ein Loch, sagt Faye.

Ihr Bruder hatte April erzählt, dass ihr Vater kurz vor seinem Tod keine normal große Schnapsflasche mehr halten konnte, so musste er seinen geliebten Stonsdorfer in Miniaturausgaben kaufen. Als Alex nach der Beerdigung in die Wohnung ihres Vaters kam, war der ganze Boden mit den kleinen Flaschen übersät, viele zu Mustern geordnet. In ihrer Vorstellung hatte ihr Vater stundenlang auf dem Boden gesessen und nach Lösungen gesucht. Je mehr er trank, desto überzeugter war er, sich auch aus dieser Situation wieder herausmanövrieren zu können. Wenn alle Stricke rissen, würde er eben mit dem Rauchen aufhören, aber vorerst wollte er die alten Gewohnheiten nicht aufgeben. Sein Feilschen hatte ihm nichts gebracht, er starb an seinem Krebs.

Selbst ihre Mutter hat die Rolle einer Toten inne. Sie muss immer sterben, wenn April eine Ausrede benötigt. Sogar Ludwig hatte schon einmal mit der Begründung einen Termin abgesagt, seine Schwiegermutter sei gestorben. Doch April inflationiert den Tod ihrer Mutter, lässt sie bei der Zahnarzthelferin mal an Krebs, dann an einem Unfall sterben, und während eine Kollegin von Ludwig ihr kondoliert, reagiert sie vergesslich und unbesonnen, fragt: Tot, wer ist tot?

Warum gibt sie sich überhaupt mit Geistern ab? Ist es so anstrengend, sich mit den Lebenden auseinander zusetzen? Es fällt ihr schwer, Julius zu lieben. Er hat die Augen zusammengekniffen, wenn er sie ansieht, als sei er kurzsichtig. April macht sich nicht die Mühe, seine Wut und Melancholie zu ergründen, sie reagiert nur. Es ist, als müsste sie jedes Mal eine verschlossene Tür aufbrechen, um sich ihm nahe zu fühlen. Sie war zwölf, als ihre Mutter noch ein Kind bekam. Einen Sohn, Elvis. April kümmerte sich um den Säugling, gab ihm die Flasche, wickelte ihn, doch dann kam sie ins Kinderheim. Sie sehnte sich so sehr nach ihm, dass sie nicht mehr schlafen, nicht mehr essen konnte, überall sah sie sein kleines Gesicht. Diese heftige, schmerzhafte Liebe überdeckte jedes andere Gefühl. April riss aus, um ihren Bruder zu sehen, trampte und lief die fünfzig Kilometer zu Fuß, fuhr schwarz mit dem Zug. Der Heimleiter drohte ihr mit der Einweisung in den Jugendwerkhof. Wenn die Sehnsucht kam, stellte sie sich das Gesicht ihrer Mutter vor oder ihre rechte schlagkräftige Hand.

Mit Sam wurde die Tür wieder geöffnet, und nicht nur einen Spaltbreit, wie es ihr bei Julius ab und zu gelingt. Sam ist gerade drei geworden, und sie fühlt sich wie eine Verräterin, wenn sie ihn in den Kinderladen bringt. Doch kaum entdeckt er sie nachmittags, stürzt er lachend in ihre Arme, als wäre sie die Welt, mit der ganzen Fülle an Möglichkeiten.

Sie mag Stendhals Bild von der Kristallisation. In einer Salzmine liegt ein Zweig ohne Blätter, nach zwei, drei Monaten haben sich an dem nackten Holz Kristalle gebildet, eine Unendlichkeit an Diamanten, der Zweig ist nicht wiederzuerkennen. Doch das ist Dichtung – im Leben funkelt niemand auf Dauer. Wenn Ludwig sagt: Ich liebe dich, hört sie den einsamen Beschwörungston in seinen Worten; sie begreift, dass auch er ein Geist ist, und das hätte sie verbinden können. April ist ein gefräßiger Geist, sie will sich seine Liebe in den Mund stopfen, aber ihr Hunger ist unstillbar.

Selbst in den Monaten leidenschaftlicher Verliebtheit hat Ludwig nie ihr Geschlecht angefasst. Er berührt Menschen, schneidet sie auf, ihr Inneres liegt offen vor seinen Augen, seine Hände sind Instrumente, fähig, komplizierteste Operationen durchzuführen, doch bei ihr versagen sie. April empfindet zu große Scham, ihn darauf anzusprechen. Als wäre sie es, mit der etwas nicht stimmt. Sie weiß nicht einmal, wie sie ihr Geschlecht nennen soll. Vulva? Muschi? Vagina kommt aus dem Etruskischen; sie könnte auch fragen: Warum haben wir keinen Sex mehr? Stattdessen liegt jeder auf seiner Seite des Bettes und tut so, als wäre es normal, kein Begehren mehr zu verspüren.

Sie versucht, konzentriert zu arbeiten, wenigstens im Schreiben alles von sich zu fordern. Doch die Kluft zwischen dem, was sie kann, und dem, was sie will, scheint ihr unüberwindbar. Was ihr im Leben nicht gelingt, gelingt ihr auch im Schreiben nicht: die genauen Worte zu finden für das, was sie zu wissen glaubt. Wieder der Vorschlag des Verlegers, sie solle über ihr Leben schreiben. Doch sie hat Angst, die Räume zu betreten, in denen die Gespenster lauern.

Wenn Ludwig an einem Vortrag arbeitet, sind diese Stunden ein Ausnahmezustand. Obwohl er die Arbeit aufschiebt, schafft er es, sich atmosphärisch einzurichten. April ist gerührt, mit welch kindlicher Verve er sich seine Stimulanzen aussucht; schreibt er an einem Vortrag über die Hypochondrie von Winston Churchill, trinkt er Whisky und versucht sich an einer Zigarre. Er trinkt auch Kräutertee, wenn es sein muss, verteilt Räucherstäbchen in seinem Zimmer, verspürt Lust auf ein Reisgericht, weil sein Protagonist es liebt. Er weckt sie mitten in der Nacht und liest ihr den fertigen Text vor. Sie weiß nicht, ob ihm ihre Meinung wichtig ist oder ob er sie als Publikum braucht.

Hamburg

Ludwig will Chefarzt werden. Statt die Schlachten am Computer auszutragen, entwirft er nun reale strategische Pläne. Sein Chef geht in Rente, doch es gibt noch einen Konkurrenten, und den gilt es auszustechen.

Sie sind wieder komplizenhaft verbunden. Stimmung wie in einem Feldlager. Abends bringt er Hamburger mit, und sie halten Kriegsrat am Küchentisch. Doch irgendwann hat April das Gefühl, sein Beschwörungston habe sich in ihrem Kopf eingenistet. Sogar in ihren Selbstgesprächen wird sie diesen Ton nicht los, der auch Faye aufgefallen ist.

Du redest so komisch, sagt sie, übst du für ein Theaterstück?

April erzählt ihr, was gerade passiert, und Faye sagt: Männer spielen gerne Krieg. Du musst da nicht mitmachen. Oder ist es das, was du willst?

Die Besuche bei Ludwigs Eltern laufen stets ähnlich ab. Seine Mutter begrüßt ihren Sohn mit einem hämischen Blick, weil sein Hemd befleckt ist, das Tweedsakko zerknittert, die Schuhe nicht geputzt. Doch dann sagt sie versöhnlich: Ich habe dein Lieblingsgericht gemacht. Sie trägt falschen Schmuck um den tief gebräunten Hals, Stiefel, als würde sie zum Reiten gehen, ihr Haar noch heller blondiert. Der Vater nimmt sein Essen, nickt ihnen zu und verschwindet auf den Dachboden, der Fernseher ist immer eingeschaltet. Ludwigs Mutter redet mit demonstrativer Fürsorglichkeit auf ihren Enkel ein. Nach dem Essen setzt sich Ludwig vor seinen alten Computer. Es ist bedrückend im Haus, deshalb ist sie erleichtert, als Ludwigs Mutter sagt: Kommt, wir gehen raus. In dem großen, verwilderten Garten kämpfen sich Rosenbüsche durch Brennnesseln und Gestrüpp, an der alten Kastanie hängt eine Schaukel. Sam kreischt vor Vergnügen, wenn April die Schaukel anschubst und er durch die Luft fliegt. Ludwigs Mutter redet mit ihr, als wären sie enge Freundinnen, obwohl sie ihre Vertraulichkeiten vage formuliert: Riskiere nie, verlassen zu werden, und stell es schlau an, wenn du auf deine Kosten kommen willst.

Glaubst du, deine Mutter hat einen Liebhaber, fragt sie Ludwig auf der Heimfahrt.

Seine heftige Reaktion überrascht sie. Das geht uns nichts an. Jeder hat seine Leichen im Keller, und da sollen sie bleiben. Es ist besser, nicht alle Türen zu öffnen, sagt er, als würde er die Symptome einer unheilbaren Krankheit benennen.

Julius äfft ihr Seufzen nach, wann immer er es wahrnimmt. Er weigert sich, mit ihnen die Familie von Ludwig zu besuchen, hat keine Lust, am Familienleben teilzunehmen. Er und sein Vater gehören zusammen, das vermittelt er ihr nachdrücklich, und sie lässt ihn in Ruhe. Julius runzelt die Stirn, wie sein Vater, bevor sie auch nur begonnen hat, einen Satz auszusprechen.

Als sie mit Ludwig über ein Wochenende verreist, bleibt Julius allein zu Hause und Sam bei seiner Großmutter. Bei ihrer Rückkehr ist Sams Gesicht rot. Blasse Haut ist völlig ungesund, sagt Ludwigs Mutter. Der Kleine musste mal unter die Sonnenbank. Julius öffnet ihnen verkatert die Tür, antwortet auf keine ihrer Fragen. April ist wütend, aber Ludwig zuckt mit den Schultern, sagt: Ist doch lustig. Sie begreift, dass ihn das alles nicht interessiert, ein kleiner Sonnenbrand, was ist das schon – er sieht die wirklich schlimmen Sachen auf seinem OP-Tisch. Julius scheint ihm egal zu sein; Ludwig plaudert mit ihm, fragt ab und an nach seinen Noten, doch sie spürt: Er hört nicht zu.

Während die Tage im Alltagstrott vergehen, sitzt ihr eine vage Unruhe in den Kniekehlen. Sam ist ein neugieriges Kind; wenn er sich unbeobachtet fühlt, plappert er vor sich hin, als würde er sich selbst Geschichten erzählen. Manchmal sieht er sie bestürzt an, als wäre er in einem menschenleeren Kosmos verloren oder dabei, verloren zu gehen – doch es ist ihr Blick. Sie fragt sich, ob ihr diese Liebe zusteht, die ihr Herz weit macht und sie zugleich ängstigt; und dann die

Schuldgefühle: Es ist ungerecht für Julius, bitter, dass sie so nicht für ihn empfinden kann. Sie streiten sich oft, sogar im Kino, kaum ist der Film zu Ende. Julius vertritt den Filmhelden, der meint, aus Liebe und Würde sterben zu müssen, April zieht das Leben vor, wütend und stur verteidigt sie etwas, das sich bei ihr längst in ein Vakuum verflüchtigt hat. Julius sieht seine Mutter an, als wäre sie längst durch mit ihrem Leben. Er ist sechzehn und lebt seine Unzufriedenheit auf eine aufreizende lethargische Art. April versucht vorsichtig mit ihm umzugehen, doch es dauert nicht lange und sie betrachten sich wieder mit fremden Blicken. Er spricht mit ihr, als wäre er verschnupft, während sie seine Verletzlichkeit nicht wahrnimmt, nur seinen Spott. Sein Leben kommt ihr vor wie ein Zeittotschlagen, und diese Vorstellung macht ein Mitfühlen unmöglich; sie hat vergessen, wie es ist in diesem Alter, sie spielen nicht in einem Team, jeder Streit lässt sie mehr zu Gegnern werden.

Als Julius ihr mitteilt, dass er zu seinem Vater ziehen möchte, sind ihre Versuche, ihn umzustimmen, halbherzig. Sie lässt ihn gehen, traurig und erleichtert, ihren Sohn in der väterlichen Obhut zu wissen. Sein Vater akzeptiert ihn so, wie er ist. Sie hingegen reagiert wütend und kategorisch, wenn sie ihn beim Kiffen erwischt, beim Schulschwänzen; und manchmal weiß sie, er gleicht ihr, das macht sie noch hilfloser.

———

Auf dem Spielplatz lernt sie eine junge Äthiopierin kennen, ihr Sohn ist in Sams Alter. Almaz ist selbst an den trübsten Nachmittagen gut gelaunt, liebenswürdig und ironisch, gibt ihrem Sohn Cola, ohne auf die missbilligenden Blicke der anderen Mütter zu achten. Sie reden über Gott und die Welt; wenn Almaz sich verabschiedet, empfindet April ein Gefühl der Verarmung. Sie wäre gerne so wie Almaz, doch ihre Energie verpufft, sobald sie mit Ludwig zu Abend isst. Sie will ihm von Almaz erzählen, doch er spricht nur von seinem Krieg. Während er ihr seine neuen Taktiken darlegt, ist sie in den Anblick einer Motte versunken, hell und durchsichtig, wie frisch geschlüpft. Als Ludwig sagt: Um zu siegen, muss man sichtbar sein, bricht sie in Tränen aus.

Als sie Tage später den Kleiderschrank öffnet, fliegen ihr Motten entgegen, und für eine Weile, die ihr unerträglich lang vorkommt, steht sie da, erkennt, wer sie ist und wer sie sein könnte. Sie meint die Geräusche zu hören, die die Motten im Flug machen, und weicht zurück. Dann hält sie ihren Lieblingspullover gegen das Licht und entdeckt, dass er durchlöchert ist. Auch die anderen Sachen sind porös und durchsichtig, die Mottenlarven haben wie Einbrecher gearbeitet, Tunnel und Schächte hinterlassen.

———

Sie besuchen Ludwigs Großmutter im Pflegeheim. April hat ihr den Namen »Fräulein Luft« gegeben, weil sie so klein und leicht ist; eine fragile Hundertjährige, die seit Monaten im Bett liegt, den Geruch nach ungelüfteter Kleidung verströmt und einem vertrockneten Vögelchen ähnelt. Auch ihr berichtet Ludwig von seinen kriegerischen Aktivitäten, Sam sitzt daneben und hält ihre Hand. Ludwig führt mit großer Geste aus, wie die Hand seiner Großmutter Bismarck berührt haben könnte und diese nun wiederum ihren Urenkel berührt: eine Verbindung über die Jahrhunderte hinweg. Dann versucht er zu scherzen, erzählt eine Geschichte, in der die Zeugen Jehovas an der Tür seiner Großmutter geklingelt haben.

Weißt du noch, fragt er sie, du hast in Pantoffeln und Morgenrock geöffnet, und als sie sagten, du kämst in den Himmel, genau so, wie du vor ihnen stehen würdest, warst du dermaßen wütend, dass du ihnen die Tür vor der Nase zugeknallt hast.

Seine Großmutter verharrt wortlos in ihrem Zwischenreich, doch beim Abschied hat April das Gefühl, sie würde ein Vögelchen umarmen, das überraschenderweise noch immer starke Flügel hat.

———————

Ludwig hat keinen Bruder. Seine Mutter muss vor Lachen nach Luft ringen, so komisch findet sie die Vorstellung, noch einen Sohn zu haben, dazu einen, der bei der NATO arbeitet. Es ist eine der letzten Lügen, die April ihm hatte glauben wollen – vielleicht weil es eine der ersten war. Sie spricht ihn nicht darauf an – ihr ist

63

klar, Lügen machen Ludwigs Leben erträglicher, vielleicht sogar freudvoller. Erstaunt ist sie nur über ihre eigene blöde Gutgläubigkeit.

Ludwig ist davon überzeugt, dass nur kostspielige Dinge Qualität haben, sogar das Toilettenpapier muss teuer sein. Es ist, als würde das Preiswerte ihn an seine Klassenherkunft erinnern. Wenn er mit Bekannten oder Kollegen spricht, lässt er seine Vergangenheit in einem gehobenen Milieu stattfinden. April empfindet keine Scham über ihre Herkunft, gleichwohl auch sie versucht, ihr zu entrinnen. Sie hat keine Lust, mit Ludwig darüber zu streiten, was gut oder schlecht ist, und so trickst auch sie ihn mit kleinen Lügen aus – überklebt die billigen Etiketten mit'teuren. Was sie ihm unterjubelt, sind keine schlechten Sachen, und als sie Ludwig einmal von ihrem Betrug erzählt, lacht er laut. Auch über ihre anderen Tricks lacht er: Sie hat ein Pferdehaar durch eine Zigarette gefädelt, um Ludwig vom Rauchen abzubringen, ihm dramatisierend berichtet, die Polizei wolle ihn sprechen, weil er noch nie eine Steuererklärung abgegeben hat. Er raucht weiter, macht aber einen Termin bei der Steuerberaterin. Wenn Ludwig ein schlechtes Gewissen hat, schlägt er ihr vor, sie solle sich etwas Gutes leisten. Sie kauft sich ihre erste Handtasche, teure Kosmetik; für Ludwig kauft sie Anzüge, die er zu Hause anprobiert, April steckt den Bund und die Nähte ab, bringt die Sachen in eine Änderungsschneiderei.

April bewundert das Haar von Almaz; so dicht und glänzend. Ihre Freundin zeigt ihr einen afrikanischen

Laden, in dem es Haarteile zu kaufen gibt. An einem Abend sitzt April bei einer Bekannten von Almaz in der Küche und versucht ihr mit Händen und Füßen zu erklären, wie sie aussehen will. Die Bekannte ist Friseurin und spricht nur Englisch und Französisch, ein riesiger Bob Marley mit wild fliegenden Dreadlocks ist an die Wand gemalt, im Fernsehen läuft laut MTV. Die Augen der Friseurin sind hinter einer dunklen Sonnenbrille verborgen. Während sie Aprils Haare zu zahlreichen Zöpfen flicht und resolut auf ihrem Kopf zusammensteckt, singt sie laut und falsch einen ABBA-Song. Dann näht sie die Haarteile auf die festgezurrten Zöpfe und trifft mehrmals mit der Nadel die Kopfhaut. April jault vor Schmerz auf, doch das bekümmert die Friseurin nicht, sie raucht ihren Joint, krächzt nach jedem Zug und singt weiter. April kommt es vor, als würde sie Jahre so verbringen. Als sie den Atem anhält, schießen ihr Tränen in die Augen, denn für einen Augenblick begreift sie, dass sie immer schon den Atem angehalten hat, ihr ganzes Leben lang. Die Nacht vor dem Fenster wird schwarz, die Frisöse hat ihr Werk beendet, führt sie ins Badezimmer. April weiß nicht, was sie erwartet hat, auf jeden Fall nicht das, was sie im Spiegel sieht: ein Gesicht, von dem sie nicht will, dass es ihres ist; sie ähnelt einem Musketier aus den Fünfzigerjahrefilmen, langes Haar fällt aus einem Mittelscheitel, rahmt links und rechts das schmale Gesicht, die Nase sticht heraus, der Blick verzweifelt, leicht irre. Es dauert Ewigkeiten, bis die Friseurin sämtliche Haarteile wieder abgetrennt hat, die

Zöpfe entflochten sind. Ihr Stundenlohn ist exorbitant, sie ist vollkommen stoned, als April sich verabschiedet.

––––––––––

Sie sprechen darüber umzuziehen. April studiert die Immobilienanzeigen und ruft Makler an. Schon beim ersten Besichtigungstermin sagen sie zu, und diesmal mag April ihren neuen Wohnort. Eine kleine Villa in Winterhude, hohe, prachtvolle Räume, auf einer Anhöhe gelegen, in der Ferne das Wasser, die Terrasse geht auf einen parkähnlichen Garten. April kundschaftet ihre neue Umgebung aus. Sie feiern Sams Schulanfang und laden Almaz und ihren Sohn ein. Sie geht ins Kino, mit Ludwig in Restaurants, überredet ihn zu einem Picknick. Sie lernt Apfelkuchen backen und kauft einen Tortenheber.

Doch Faye erscheint auch hier, und April beginnt sofort mit ihren Klagen.

Du hast einen Vollhau, antwortet Faye. Es ist fabelhaft hier. Schau dich um.

Natürlich ist der Garten schön. Rosen, so weit das Auge reicht.

Berlin, Berlin, äfft sie April nach. Wärst du doch dageblieben!

Sie versucht es ihr zu erklären. In Berlin ist eine Frau auf dem Fahrrad eine Frau auf dem Fahrrad. In Hamburg wird die Frau auf dem Fahrrad sofort taxiert: sozialer Status, Alter, Schönheit.

Mit dir stimmt was nicht, sagt Faye, wie kann man freiwillig unsichtbar sein wollen.

Neben der Villa gibt es ein verwildertes Grundstück, auf dem Schafe grasen. April steht oft davor und versucht zu denken: Hier gefällt es mir.

———

Sie haben ein kleines Haus auf Usedom gemietet. In den Tagen vor ihrer Abreise albern sie ausgelassen mit Sam herum; Ludwig versucht ihm einzureden, jeder müsse etwas in das Ferienhaus mitnehmen, Sam sei für die Badewanne verantwortlich und schlägt ihm vor, die Wanne mit Rädern hinten am Zug zu befestigen.

Im Schlafwagen erzählt sie Sam von ihrer Kindheit an der Ostsee. Nachdem er eingeschlafen ist, liegt sie noch lange wach, stellt sich ihren Bruder Alex vor, in kurzen Lederhosen, mit seinem unglücklichen Gesicht. Er hatte im Hochsommer einen Leistenbruch; wenn er losheulte, musste sie ihm in der Hitze seine Hosen hinunterziehen und die Beule in die Leiste zurückdrücken. Sie sieht sich als Kind, selbst nach all den Jahren kriecht ihr noch ein Frösteln in die Glieder; in ihrem Zuhause bedeutete ein falscher Schritt ein Schritt ins Unheil. Es gab keine verlässlichen Vorgaben, es war immer falsch, wie sie sich verhielt – das war die einzige Konstante in ihrer Kindheit.

Als sie früh am Morgen ankommen, werden sie schon von Ludwig am Bahnsteig erwartet. Er ist mit dem Auto gefahren und hat das Gepäck transportiert.

Voller Vorfreude fahren sie dem Meer entgegen, sie singen laut, falsch und vergnügt so lange gegen das Blau des Himmels an, bis sich eine Wolke zeigt.

Das Haus ist gemütlich und hat eine Badewanne, wie Sam gleich feststellt. Es ist der Urlaub der Was-wäre-wenn-Geschichten. Was wäre, wenn Zwerge Riesen wären und Riesen Zwerge, fragt Sam. Als Ludwig mit einem Kollegen telefoniert, erzählt er diesem, er würde gerade in Indien durch die Provinzen fahren. April fragt sich, was wäre, wenn Ludwig nichts erfinden würde.

Es ist ein kühler September, über dem Meer nähert sich eine Gewitterfront, Ludwig stürzt sich dennoch ins Wasser. April wartet mit dem geöffneten Handtuch auf ihn. Siehst du, sagt er stolz. Die Rufe der Möwen begleiten ihre Wanderungen, sie stehen in den Dünen, sehen zu, wie die Wellen zu Gischt werden und im Sand verlaufen.

Ludwig kann sich nur schwer an die Ruhe gewöhnen, schon nach wenigen Tagen vermisst er seine Arbeit, den abklingenden Schrecken nach einer schwierigen OP, das Gefühl, davongekommen zu sein. Drei Wochen ohne Drama, wie soll ich das durchhalten, sagt er.

Sie überraschen Sam mit einer Schatzsuche. April hat funkelnden Tinnef, einen silbernen Totenschädel, bunte Ketten und Ringe, Miniaturtiere und Geister in eine verwitterte Holzkiste gepackt. Die Schatzkarte findet Sam abends unter seinem Kopfkissen. Am nächsten Morgen ziehen sie los und graben abwechselnd, bis sich die Kiste unter Sand und Steinen zeigt. Das kann Ludwig gut: sich an Sams Freude freuen.

In diesem Urlaub hat April die sprichwörtlichen Hosen an. Sie fordert Sex ein, plant ihre Unternehmungen. Sie ist es, die die Familie beschützt: Im Wald rennt ein zottliges Vieh laut bellend auf sie zu, und während Ludwig sich im Rückwärtsgang davonschleicht, bleibt sie stehen, Sam hinter sich, und weist den Hund zurecht, der ihr wundersamerweise gehorcht und sich zurückzieht.

Wenn Ludwig einen Brunnen sieht, wirft er ein Geldstück hinein und wünscht sich etwas. In Zinnowitz versteckt er eine Münze im Mund einer steinernen Figur. Ein Jahr später, als sie wiederkommen, ist die Münze immer noch da, auch im Sommer des darauf folgenden Jahres.

April spürt den nahenden Winter, als sie in der Dämmerung zwischen den Rosenbeeten das Unkraut zupft. Es beginnt zu regnen, Tropfen rinnen aus ihrem Haar in den Nacken.

Der Geruch vom Fluss weht herüber. Die Fenster im Haus sind hell erleuchtet. Sie sieht Sam mit seiner Ratte spielen, das neueste Haustier, nachdem seine Heuschrecken vertrocknet und die Fauchschaben den Wärmetod gestorben sind.

Sie sieht jede Einzelheit vor sich, Laub, welke Rosenblüten, das dunkle Gefieder der auffliegenden Amsel. Warum fühlt sie sich nicht geborgen?

Ich liebe dich, sagt Ludwig. Ich liebe dich so sehr,

dass es mir den Atem nimmt. Du bist mein Goldstück, mein Leben. Er ist ihr derart zugewandt, dass sie ihn kaum wiedererkennt. Was soll ich tun, fragt er. Er steckt in Schwierigkeiten. Sein Konkurrent ist ebenfalls in den Kriegsmodus getreten. Die anderen Kollegen beschuldigen Ludwig der Unkollegialität. Dann die Anästhesistin, die sich geweigert hat, am späten Nachmittag ihre Arbeit bei einer großen OP zu verrichten, weil sie nicht in der Lage war, sich einen Babysitter zu besorgen. Ludwig hat sie vorgeführt, gehöhnt, sie solle sich keine Kinder anschaffen und dergleichen mehr, und dann habe diese Kuh den Personalrat informiert: Ludwig hätte sie mit seiner Herabsetzung traumatisiert. Das Schlimmste aber ist, dass Ludwig bei der OP eines Chirurgen aus dem Haus einen Fehler gemacht hatte. Wie konnte ich nur, ruft er, niemals soll ein Chirurg einen Kollegen operieren. Und niemals wird er sich bei dieser Schlampe entschuldigen. Ludwig kann keine Schwäche zeigen. Die Angst, sich selbst zu befragen, ist zu groß. Er besteht darauf, ein einfacher Mensch mit einem ganz klaren Leben zu sein. Wann immer es ihm möglich ist, geht er mit April und Sam spazieren. Zu Hause trinken sie heißen Kakao und essen Apfelkuchen. Ludwig sagt, wie sehr er sich wünsche, einen einfachen, unkomplizierten Beruf zu haben, er habe die stinkenden Organteile, die widerwärtigen Körperflüssigkeiten satt, die morgendlichen Meetings. Ohne euch würde mir das alles die Seele zerfressen, sagt er.

Die Seele, fragt sie.

Ja, sagt er, mach die Augen zu, halt still. Er legt ihr eine Perlenkette um den Hals, schiebt sie sanft vor den Spiegel.

Er ist liebevoll, aufmerksam, probiert sogar, für Sam und April zu kochen. Sauerkraut und Würstchen, das Räuber-Hotzenplotz-Essen. Er bringt Sam bei, Fahrrad zu fahren, geht mit ihm in Museen, ins Kino. Als Sams Ratte von der Tierärztin wegen eines Tumors aufgegeben wird, operiert er sie selbst. Er narkotisiert das Tier, schneidet mit einem Skalpell durch das rasierte Fellchen, entfernt den Tumor, näht die Ratte wieder zusammen – und sie überlebt, Sam ist begeistert.

In seinen Computerspielen bestellt Ludwig nun Land wie ein Bauer, bepflanzt Äcker und Felder, versorgt Hühner. Er versucht seine Feinde auf seine Seite zu ziehen, Normalität vorzutäuschen. Diese Normalität ist anstrengend für April; Gäste bevölkern plötzlich das Haus. Sie strengt sich an, eine passable Gastgeberin zu sein. Sind sie allein, will Ludwig sofort wissen: Wurde mir geglaubt, hab ich zu viel gesagt?

Warum entschuldigst du dich nicht, fragt sie.

Es ist ihm ganz und gar unmöglich. Er fühlt sich durch die geringste Kritik infrage gestellt. Sein Mantra ist: Ich habe doch gar nichts getan. Warum ausgerechnet ich? Er hält es nicht aus, über sich zu sprechen, er wird panisch, ein Nichtschwimmer auf offener See. Lieber schmiedet er Rachepläne. Der Hass auf seine Feinde hat auch physische Auswirkungen. Er steht vor ihr, als würde ein Sturm über ihn hinwegfegen, sein Herz galoppiert wie ein in die Enge getriebener Gaul, er hat Kopfschmerzen, Schweißausbrüche, Depressionen wechseln mit Euphorien. Er besteht darauf, ihr einen Pelzmantel zu kaufen, einem Bettler drückt er einen Fünfzigeuroschein in die Hand; er liebe die einfachen Leute, sagt er.

April findet die Briefe, als sie wie gewöhnlich seinen Schreibtisch aufräumt. Nach jedem Vortrag, den er schreibt, ähnelt sein Zimmer einem Schlachtfeld. Überfüllte Aschenbecher, leere und halb volle Flaschen Mezzo Mix, vollgekritzelte Zettel, Zeitungen, Bücher – all diese Dinge räumt sie wieder an ihren Platz. In dem Brief an April steht, dass kein Mensch sie so geliebt habe wie er, dass sie stark sein solle, auch für Sam. Es sei eine Erlösung für ihn. In den Abschiedsbriefen an die Kollegen ist zu lesen, dass er nicht als Betrüger dastehen wolle, es sei Rufmord gewesen – ein Mordversuch mit tödlichem Ausgang. Er notiert, wer nicht zu seiner Beerdigung kommen darf, und nie sollen jene vergessen werden, die ihm das angetan haben; es folgen Namen. So viel Hybris und kindliche Kränkung in den Zeilen, sie ist fast gerührt.

Sie spricht ihn darauf an und Ludwig sagt, er könne so nicht weiterleben, die Schmach sei ihm unerträglich. Obwohl er ihr so nahe ist, weiß sie nie genau, was in ihm vorgeht. Sie hat ihn beobachtet: Er wirkt niedergeschlagen, schwach, doch im nächsten Augenblick schmiedet er Urlaubspläne, spricht von Vergeltung, entwirft lustvoll seinen Rachefeldzug: Jeden einzelnen seiner Feinde wird er in den Ruin treiben. Er erinnert sie an Edmund Dantes, den Grafen von Monte Chris-

to; sie nimmt seine Worte nicht ernst, aber seine aus-
dauernde Besessenheit befremdet sie. April erzählt von
ihrem Vater, einem grandiosen Selbstmörder, ja, auch
das. Doch diese Geschichte interessiert ihn nicht, weil
sie ihn nicht betrifft.

Daran wirst du nicht sterben, sagt April und spürt,
wie kraftlos sich dieser Satz anhört: obwohl sie meint,
was sie sagt, sind auch ihre Worte dahingesagt; sie kann
ihm genauso wenig helfen wie er ihr.

Willkommen in Berlin

Ludwig ist Chefarzt geworden – in Berlin. Als das Angebot kam, sagte er sofort zu.

Willkommen in Berlin, schreibt sie in ihr Tagebuch. Seit ein paar Monaten wohnen sie in einer schönen Altbauwohnung am Paul-Lincke-Ufer mit Blick auf den Kanal. Der Geruch nach verschlafener Stadt liegt in der Luft, während sie mit Sam singt, der neben ihr auf dem Fahrrad fährt. »Probier's mal mit Gemütlichkeit«, ein Lied vom Dschungelbuch-Soundtrack, ihre Begleitmelodie, wenn sie früh in die Schule fahren. Sie mag die Morgenstunden, verheißungsvoll, unverbraucht, bevor die Arbeit beginnt. Noch immer sträuben sich bei ihr die Worte, wenn sie am Schreibtisch sitzt. Als würde sie sich nur auf einer Besichtigungstour befinden. Würde sie aussprechen, was sie meint, müsste sie ihr Leben ändern. Solange sie nicht bereit ist, das auszuhalten, wird auf dem Papier nichts von Bedeutung stehen. Das weiß sie, doch sie hat Angst vor ihrem Zorn, den sie scheinbar sicher, wie ein Hündchen, an der Leine führt.

Das Fenster vor ihrem Schreibtisch geht auf einen großen Innenhof, dessen Mauern mit bunten Herzen bemalt sind. In diesem Anblick verliert sie sich, bis in die Nachmittagsstunden, dann holt sie Sam aus der Schule ab.

Sommer in Berlin. Sie trifft sich mit Schwan, einem Schriftsteller, und Keller wöchentlich im Würgeengel. Schwan hat trotz seiner Schwere etwas Gleitendes. Wenn er spricht, ist er der Vogel im Anflug. Sie trinken, rauchen, diskutieren über weibliche und männliche Verkorksungen, über Sex, darüber, erwachsen zu werden. Kaum betritt der Fotograf mit seiner Polaroid den Raum, ruft April ihn an den Tisch, und während Keller und Schwan peinvoll aufstöhnen, macht er seine Fotos. Sie sind eine ansehnliche Dreierbande, jeder auf seine Art heimatlos.

An einem späten Augustabend sind sie am Paul-Lincke-Ufer verabredet. Ludwig hält einen Vortrag in Edinburgh. Keller und Schwan sitzen bereits auf der Wiese, als April mit zwei Flaschen Rotwein dazukommt. Sie hat Plastikbecher dabei, aber den Korkenzieher vergessen. Keller mustert das Etikett, schnalzt anerkennend mit der Zunge und drückt den Korken mit dem Daumen in den Flaschenhals. Während die Laternen aufflammen, holt sie weitere Flaschen aus der Wohnung. Es ist noch warm, der Alkohol macht ihre Gesichter leer, sie liegen auf dem Rücken, über sich Insekten im Laternenlicht und der sternenlose Himmel. Sie sehen sich alt werden, eine Woge von Kummer steigt auf und ebbt wieder ab. Träume werden für gut befunden oder verworfen. April erzählt ihren Freunden, wie sie als Kind und auch heute noch froh war über alle Menschen, die sich ihr freundlich näherten, weil sie sich vorstellte, dass sie, wenn sie tot ist, an ihrem Grab stehen würden. April sammelt sie, ihre Beerdigungsbegleiter. Wieder einer mehr, zählt sie bei einer beginnenden Freundschaft oder einer schönen Begegnung.

———

Wenn Ludwig nach Hause kommt, verschwindet er nach einer flüchtigen Begrüßung in sein Zimmer. Er ähnelt den Untoten aus seinen Computerspielen, und auch wenn April sich sagt, dass die Stunden zu ihrer Verfügung stehen, ist Ludwigs Abwesenheit mit einer wütenden Traurigkeit für sie verbunden. Außerhalb seines Zimmers strengt ihn jede Bewegung an, sein gesamter Einsatz gilt wieder den Kriegsspielen am Computer. Er brauche das, sagt er; trotzdem versucht sie Zeit für sich und Sam einzufordern, Spiele, Spaziergänge. Wenn Ludwig eine ihrer Bitten erfüllt, erwartet er Lob, als hätte er etwas Außergewöhnliches vollbracht.

April sagt: Ich will nicht immer die sein, die Ansprüche stellt.

Er antwortet: Dann melde keine Ansprüche an.

Sie sieht in seinem Blick alles, was sie nicht sein will; eine Frau, die von dem Geld ihres Mannes lebt und ihr Leid wie ein kuschliges Haustier pflegt, zu feige, in

die Welt hinauszugehen, und die ihr Versagen ihm an-
lastet.

Sie sagt zu Ludwig: Sie haben dich ausgetauscht.

Er sieht sie verständnislos an.

Außerirdische, es kann nur so sein. Es ist ein kindischer Gedanke, aber sie will ihn plausibel finden. Sie
will den Mann zurückhaben, in den sie sich verliebt hat.
Weißt du noch, möchte sie ihn fragen, wie wir auf der
Wiese lagen, zwischen Kühen, und uns liebten.

Ludwig ist der Meinung, er sei gestärkt aus seinen
Krisen hervorgegangen. Für April sieht es aus, als sei er
nur härter geworden, er wird bei der geringsten Kritik
wütend. Er ist wochenlang voller Groll auf einen Assistenzarzt, will ihn zertreten wie einen Wurm – weil er
es gewagt hat, ihm zu widersprechen, eine unverzeih-
liche Sünde.

Kollegen, von denen Ludwig früher verächtlich gesprochen hat, besuchen ihn nun. Ludwig gibt ihr zu
verstehen, dass es sich um Männergespräche handelt.
April setzt sich dennoch zu ihnen und mischt sich in
die Unterhaltung ein. Sie bemerkt die angestrengte
Höflichkeit, wenn ihr geantwortet wird; am liebsten
wären sie unter sich.

April ist erstaunt, dass Ludwig in diesen Gesprächen
oft das Gegenteil von dem sagt, was er vorher mit ihr
besprochen hat. Das ist ein Spiel, sagt er, der Mensch
muss sich ausprobieren.

Sie besuchen den Klinikleiter, der kurz vor der Rente steht. Ludwig hat ihr erzählt, dass er morgens seinen privaten Abfall in den Mülltonnen der Klinik entsorgt, die Anzüge seines Vaters aufträgt und seine Frau dazu anhält, sich nur in wadenlangen Röcken zu zeigen. Als sie klingeln, wird die Tür einen Spaltbreit geöffnet, ein älterer Mann winkt sie eilig hinein, als gäbe es jemanden, der mit ihnen durch die Tür will. Der Klinikleiter ähnelt einem Marabu, der Körper steif und nach vorn geneigt, Fusselhaar auf dem kahlen Schädel. Er führt sie gleich in das hell erleuchtete Souterrain und zeigt ihnen die Schätze aus seiner historischen Instrumentensammlung, alte Mikroskope, Seziermesser, Scheren, Glasspritzen, ein Chronoskop; besonders stolz ist er auf ein Uraltgerät zur Bestimmung der absoluten Muskelkraft. Ein wandeinnehmendes Regal ist mit Konserven und Einweckgläsern gefüllt – davon könne man Monate leben, sagt er. Seine Frau trägt tatsächlich einen wadenlangen Rock, er singt alte Arbeiterlieder, fragt April nach ihrer Kindheit und dem Leben in der DDR.

Sie geben einen großen Empfang. April konzentriert sich ganz darauf, eine gute Gastgeberin zu sein; sie lächelt, setzt sich zu den Gästen, und als eine Frau zu ihr sagt: Sie und ihr Mann sind ja ein prächtiges Power-Couple, widersteht sie dem Drang, ihr den Satz zurück in den Mund zu stopfen.

Ludwig sagt, man sehe April an, was sie denkt, sie solle ihr Gesicht besser unter Kontrolle halten. Sie hat das Gefühl, beobachtet zu werden, und es vergeht erst, als Keller und Schwan auftauchen. Sam wuselt zwischen den Kellnern herum, er geht inzwischen in die vierte Klasse und ist im Star-Wars-Fieber. April stellt sich kurz vor, ihr Vater würde hier servieren – schon sein Säuferatem würde alles durcheinanderbringen. Sie mag diesen Gedanken, aber ihr ist auch klar, dann wäre der Abend gelaufen.

Während sich frühmorgens die letzten Gäste verabschieden, sitzt sie mit Keller und Schwan auf dem Balkon und sie überlegen, mit welchen der Gäste sie als Kinder befreundet gewesen wären.

―――――――

Ein Kollege von Ludwig will den Tag der Deutschen Einheit mit besonderen Menschen verbringen, so steht es auf der Einladungskarte. Er lebt in Wannsee, auf dem Dach weht die Deutschlandfahne. April wirft Ludwig einen komplizenhaften Blick zu, doch er sieht lächelnd der Dame des Hauses entgegen. Im Wohnzimmer, wo einige Paare schon vor dem Kamin stehen, nimmt April den ihr gereichten Champagner und wechselt ein paar Worte mit dem Gastgeber. Neben ihr wird von einer Theaterpremiere gesprochen, ein Glatzkopf bezeichnet sich selbst als Freund der Oper. Der Gastgeber klopft an sein Glas, spricht über die Helden der Wiedervereinigung, lobt die Verschwisterung von Ost und West. April fällt eine flüsternde kleine Dame auf, und sie erkennt in ihr die Frau des Klinikleiters. Sie trägt ein wadenlanges Kleid aus den Fünfzigern und einen selbst gestrickten Kinderschal; ihre Finger haben sich in den Maschen verfangen, sie trippelt flüsternd hin und her, dann sagt sie laut: Mein Neffe, auf den möchte ich trinken. Ihr Mann sieht sie an wie einen ungehorsamen Hund, und die kleine Frau verstummt. April sitzt neben einem englischen Handchirurgen, der auf sie einzureden beginnt, und obwohl sie versucht, ihm zu erklären, dass sie kein Englisch kann, doziert er unermüdlich weiter. Nach der Suppe verkündet die Gastgeberin stolz, dass ihr Fleischer auch den Altkanzler beliefere, und nach einem kurzen Beifall wird Saumagen serviert; das Dessert ist in den deutschen Landesfarben glasiert. Als die Tischordnung sich lockert, sieht sie Ludwig vor dem Kamin, er redet mit jungenhafter Munterkeit auf den Hausherren ein. Sie geht an ihm vorbei, tätschelt mit einem leichten Schlag seinen Hintern. Ein paar Gläser Rotwein später verschwindet sie auf dem Gästeklo und lässt sich kaltes Wasser auf die Handgelenke prasseln. Dann setzt sie sich zu der kleinen Frau und fragt: Was ist mit Ihrem Neffen? Sie antwortet nicht, und April nimmt noch einen Schluck, spürt ihre Zunge schwer werden, stellt sich vor, durch den Raum zu fliegen. Hoch will sie, hoch zu dem funkelnden Kronleuchter, dessen Lichter wie auf einer spiegelnden Wasserfläche tanzen, sie reckt die Hände hinauf, versucht das helle Glitzern zu erreichen.

Sie denkt, er kann es unmöglich ernst meinen, so mit ihr zu sprechen. Was ist los mit dir, fragt sie. Ich verstehe nicht, was du mir sagen willst. Ich brauche meine absolute Ruhe, sagt er, mein Beruf ist Schwerstarbeit. Ihr ist, als würde sie zerbersten – sie nimmt ein Glas, wirft es an die Wand, das nächste auf den Boden. Er sagt: Was ist nur mit dir los? Warum musst du alles zerstören? Glaubst du etwa, es ist eine Freude, mit dir zusammen zu sein? Weißt du, wie zermürbend es ist, deine Wutanfälle auszuhalten? Ich bin so müde, sagt er, so müde.

April ist unkonzentriert, lässt Dinge fallen. Als sie sich in den Daumen schneidet, die Blutlache sich wie ein See auf dem Küchentisch ausbreitet, schreit Ludwig sie an: Ich will kein Blut in meinem Haus sehen. Sie reden tagelang nicht oder streiten sich, selbst am Telefon, als Ludwig irgendwann vorwurfsvoll sagt: Ich hoffe, du hast meinen Wein nicht getrunken.

Welchen Wein, fragt sie und weiß es doch genau.

Nach einer seiner Operationen ist ihm eine Kiste Wein zugeschickt worden, es sind jene Flaschen, die sie mit Keller und Schwan am Ufer der Spree geleert hat. Ludwig macht sich nichts aus Wein, aber er beansprucht ihn, wegen des Streits. April geht mit der letzten verbliebenen Flasche in einen Weinladen und fragt die Verkäuferin, ob sie fünf davon nachkaufen könne. Keine Ahnung, antwortet sie, ihr Chef komme später, aber sie könne die eine Flasche dalassen. Als April nachmittags ihr Fahrrad ankettet, stürzt die Verkäuferin auf sie zu, führt sie am Arm durch die Tür und stellt sie ihrem schnauzbärtigen Chef vor. Das ist die Frau, sagt sie.

April ahnt nichts Gutes.

Wie haben Sie den Wein getrunken, fragt er.

Sie versteht nicht, was er meint.

Ich wünschte, ich wäre dabei gewesen, sagt er und wiederholt die Frage.

Wir hatten keinen Korkenzieher, erinnert sie sich, deshalb haben wir den Wein aus der Flasche getrunken.

Schnauzbart hüstelt verlegen, als wäre der Witz nicht besonders gut. Aber sagen Sie, gute Frau, wie haben Sie den Wein vorher gelagert? Welche Temperatur hatte er beim Dekantieren? Was wurde dazu gegessen?

April muss den Mann erneut enttäuschen und begreift langsam, dass der Wein sehr teuer ist. Ich brauche fünf Flaschen, sagt sie.

Er hält inne. Vielleicht auf einer Auktion, sagt er. Für die eine verbliebene Flasche würde ich Ihnen eine ganze Party ausrichten.

Einen Augenblick schwankt April, doch dann nimmt sie die Flasche und geht.

Als sie Ludwig später davon erzählt, ist ihm der Wein egal; gute Geschichte, sagt er, musst du mal aufschreiben.

––––––––

Sie hat von Tabletten gelesen, die helfen sollen, und findet einen Arzt, der sie ihr verschreibt.

Die Wirkung setzt zwei Wochen später ein. Als sie Sam von der Schule abholt, kann sie ihm zuhören, ohne angestrengt zu sein; sie spürt das Echo dessen, was sein Tag gewesen ist.

Du bist sanfter geworden, sagt Ludwig.

Ehetauglicher, antwortet sie.

An einem Abend trinkt sie Alkohol, trotz der Warnung auf dem Beipackzettel. Eine halbe Flasche Wein reicht aus, um die friedliche Blase platzen zu lassen. In einer Aufwallung von Zuneigung umarmt sie Ludwig, der den Blick nicht vom Computer abwendet und sie auf eine Frage mit dürren Worten abspeist.

Du solltest die Dosis deiner Tabletten erhöhen, sagt Ludwig am nächsten Tag. April geht zu den Nachbarn, die über ihnen wohnen, und entschuldigt sich für die laute Störung: Ihre Mutter sei gestern gestorben, sagt sie und nimmt das Beileid entgegen, als würde es ihr zustehen. Wenn sie an ihre Mutter denkt, fahren ihr Angst und Zorn in die Eingeweide. Sie stellt sich vor, wie sie die Asche ihrer Mutter ins Klo schüttet und darauf scheißt. Sie weiß, dass ihr diese Wut nicht guttut, sagt laut: Ich verzeihe dir. Aber es hört sich an wie nur so dahingesagt.

————

In einer Nacht sagt Ludwig im Traum: Meine Schöne. Sie ist sich sicher, dass er nicht sie meint. Sie haben keinen Sex. April sorgt für sich selbst, zunehmend lustloser, doch sie sagt sich, dass es wichtig sei. Als sie einmal auf dem Balkon liegt und keines der ihr sonst geläufigen Bilder abrufen kann, starrt sie nach oben und beginnt die riesige Himmelsfläche zu ficken; sie lässt ihre Schwurfinger kreisen, und während sie die Kontraktionen spürt, muss sie losheulen, weil ihr Orgasmus so einsam ist.

Die Tabletten kappen die Spitzen, die hellen und dunklen. Freude ist kein Gefühl mehr, das von Herzen kommt, eher eine blecherne Euphorie, anstrengend wie ein Husten.

Dieses Leben bis zum Tod so weiterführen, das will sie nicht. Sie kann sich nicht mehr vorstellen, mit Ludwig alt zu werden. Sie redet mit Keller, und er bekräftigt, dass sie gehen soll. Das wird nichts mehr, sagt er, du bekommst noch einen Preis für Selbstzerstörung, käufliche Selbstzerstörung, fügt er hinzu. April ist wütend, wenn er das sagt; obwohl sie weiß, dass er recht hat, einerseits. Aber so einfach ist es nicht.

————

Nach der Zulassung eines neuen Medikaments gibt es eine große Feier im Rathaus. April steht neben Keller, den sie überredet hat, sie zu begleiten. Sie trägt einen Rock und Stiefel mit dicken Sohlen, ist ruhelos, angespannt. Sie sucht den Raum nach Bekannten ab, leert schnell ein Glas nach dem anderen. Obwohl Keller keine Lust hat, zieht sie ihn am Handgelenk hinter sich her und stellt ihn Leuten vor, die er gar nicht kennenlernen will. Auf der Toilette nimmt sie einer Frau wortlos die Puderdose aus der Hand und betupft sich die Stirn. Ihre Stiefel sind schwer und leicht zugleich, sie springt hierhin, dorthin. Mit einer kurzen Verzögerung nimmt sie noch wahr, dass ihre Sprünge höher werden; das Gefühl, begafft zu werden, und ihre Arroganz wachsen gleichermaßen. Sie spürt zu viel Haut, aus der sie herausspringen will, sie springt und es gibt kein Halten mehr. Sie springt auf Leute zu, redet mit ihnen, es ist ihr egal, worüber. Die Luft bekommt Risse, sie springt durch den Raum und ohrfeigt Keller.

Es gibt den einen großen Streit. Etliche, kleine, belanglose Streite später trennt sich April von Ludwig.

Seine ausgebreiteten Handflächen – nur noch papierne Gesten, so empfindet sie es.

Ich will nicht mehr mit dir alt werden. Diesen Satz spricht sie ruhig aus, ehe sie die Tür hinter sich zuschlägt.

Sie ist überrascht, wie gleichmütig auch er sich zu trennen bereit ist. Hat er darauf gewartet, dass sie es endlich ernst meint?

In den nächsten Tagen telefoniert er mit Maklern, packt Kleidungsstücke und Unterlagen zusammen, zieht in ein möbliertes Dachgeschoss nach Dahlem. April kann in der Wohnung bleiben, er wird ihr Unterhalt zahlen, vorerst. Kurz darauf vermittelt Ludwig ihr einen Job beim Fernsehen; auch dafür ist sie dankbar. Natürlich beäugen sie ihre neuen Kollegen misstrauisch, was April ihnen nicht verdenken kann.

Sie kauft einen Dackelwelpen: Hugo, den Trennungshund. Erst jetzt registriert sie, dass sich Berlin in eine riesige Baustelle verwandelt hat, als hätte der Schmerz ihren Blick geöffnet.

An einem Nachmittag geht sie mit Hugo spazieren und sieht Sam an der Kreuzung stehen, neben ihm Daggi, mit der er sich angefreundet hat. Seit ihre Eltern eine Kneipe im Erdgeschoss eröffnet haben, tobt er täglich mit dem Mädchen durch die Straßen. Es ist kalt und windig, Sam trägt nur einen dünnen Pullover, er zögert, als er seine Mutter entdeckt, rennt sofort los, als er Hugo sieht. Der Hund ist eine Sensation: Wenn sie mit ihm durch die Straßen gehen, bleiben die Leute stehen und stoßen Laute des Entzückens aus.

Zu Hause zeigt Sam Daggi seine neue Pistole. Er bedeckt sein linkes Auge mit der Hand und strengt sich an, seine Anstrengung nicht zu zeigen, während er zielt. Die gelbe Plastikkugel trifft Luke Skywalker am Kopf und zerreißt das Plakat. Die elfjährige Wirtshaustochter, einen Kopf größer als Sam, erinnert April an ihre eigenen Versuche als Kind, den anderen durch Unberechenbarkeit einzuschüchtern. Spätabends sitzen Sam und Daggi am Tisch, essen Schinkenbrote und Käsetoasts und weigern sich, schlafen zu gehen.

Sie nimmt eine neue Energie an ihrem Sohn wahr,

über die er selbst erstaunt scheint, und er bezieht seine
Mutter weniger in seine Alltagsnöte ein.

April beginnt ihr fremde Gegenden auszukundschaf-
ten, läuft am Ufer der Spree entlang, beobachtet Menschen. Sonntags verkauft sie ausrangierte Sachen auf
dem Flohmarkt. Inzwischen kennt sie die anderen Ver-
käufer und ihre Geschichten; eine Frau hat ihr Baby
verloren, ein Bestattungsunternehmer Bankrott gemacht, ein junges Mädchen liest April Briefe ihres
Freundes aus Alaska vor.

Sam bringt eine verletzte junge Krähe mit nach Hause.
Der Vogel krächzt erbärmlich, eine Kralle hängt herun-
ter. Sie bauen ein Nest und stellen es auf den Balkon.
Sam versucht die Krähe mit Würmern zu füttern, nach
ein paar Tagen wird sie zutraulich und frisst sogar
Wurststückchen. Doch bevor Sam dem Vogel einen
Namen geben kann, fliegt er davon.

Keller gibt ihr die Telefonnummer eines Psychologen,
so kommt sie zu All. Er heißt Alfred, aber sie nennt ihn
All – wie das Weltall –, dieser Name erscheint ihr ange-
brachter, wenn sie mit ihm redet. Ihre inneren Kriege
haben nachgelassen, doch sie bezahlt das mit einem
»Drübersein«, so nennt sie es. Sie plappert einfach
drauflos, erzählt Fremden Geheimnisse; wenn sie ein
Glas Wein trinkt, schläft sie ein oder wird wütend. Die

Bereitschaft, Risse in ihr Leben zu schlagen, ist »ein Rückfall in alte Verhaltensmuster«, das haben All und sie besprochen. Er verschreibt ihr andere Tabletten, und es gibt die Zeit davor und danach; auch wenn April ihre gute Laune anfangs wie eine Krankheit vorkam – sie hörte sich andauernd lachen –, kehrt die Düsternis auf eine erträgliche Weise zurück. Sie fühlt sich mit den Tabletten wie ein Boxer beim Training, dessen Helm die harten Schläge dämpft.

April lernt, dass sie ein beschädigter Mensch ist, lernt diese Beschädigungen ernst zu nehmen und dass auch sie dafür verantwortlich ist. Sie vermisst Ludwig, weiß nicht, wie es weitergehen soll, versucht loszulassen. Sam wechselt aufs Gymnasium, freundet sich mit Victor und Marek an.

April sitzt stundenlang vor dem Schreibtisch, ohne einen Satz zu schreiben, aber sie hält es aus. Sie erinnert sich, dass sie im Kinderheim, wenn sie nicht einschlafen konnte, Geschichten erzählt hat, um die anderen wach zu halten.

Teil 2

Geschosse und Gehopse

April hockt vor einer Backsteinmauer. Es ist kurz vor Einbruch der Dämmerung, Straßen weiter ebbt der Verkehrslärm ab. Der Boden unter ihr hat die Hitze des Tages gespeichert, sie hört das lang gezogene Ärr-ärr einer Krähe. Sie lässt ihren Blick über die prall gefüllten Plastiksäcke gleiten, die zum Abholen auf dem Fußweg stehen. Sie sind voll mit Textilien für die Altkleidersammlung, früher hätte es Lumpensamlung geheißen, ein verschüttgegangenes Wort, genauso ausrangiert wie die Lumpen in den Säcken. Sie öffnet einen, zieht eine Damenhose Größe 44 heraus, ein derbes Männerhemd, einen rot glänzenden Plastikmantel – Made in China im Etikett –, eine schwarze Seidenbluse. April spürt ein Kribbeln in den Kniekehlen, sie stellt sich All vor, und in seinem Blick sieht sie keinen Vorwurf, eher milden Spott. April gefällt die Möglichkeit, erwischt zu werden, doch was sie wirklich braucht, sind die alten Sachen, mit den Gerüchen von Elend und Glück. Wenn sie ihre Nase darin versenkt, empfindet sie keinen Ekel, sie könnte darin baden, so hat sie es All beschrieben. Sie hat das Gefühl, überflutet zu werden, etwas wie Frieden stellt sich ein.

Für April kommen viele Dinge infrage, die danach aussehen, von ihr noch einmal gebraucht werden zu können. Sie stöbert in Antiquitätengeschäften, auf Flohmärkten, im Sperrmüll. Sie stellt sich die ehemaligen Besitzer vor, ihr Leben. Was sind deren Lieblingsfilme, drücken sie die Zahnpastatube von unten aus? Sind sie cholerisch, phlegmatisch, verkannte Künstler? Wissen sie, wer Alfred Brehm war? Was halten sie vom Papst? Schämen sie sich, gesehen zu werden? Brauchen sie Trost?

Was empfindet sie dabei? Dieser Tick ist nicht nur für ihr Schreiben wichtig, er bringt ihr Freude und Einfälle, die sie in Worte kleidet. Sie findet, dass es zu wenig Ticks gibt. Jeder Defekt wird therapiert. Überhaupt, wo sind all die Verrückten abgeblieben? In ihrer Kindheit lauerte der drecksche Helmut im Park, Jesus mit der Leiter erschreckte junge Mädchen, Trudy regelte den Verkehr auf der Kreuzung. Niemand wird mehr von Mongos sprechen können, weil sie gar nicht erst geboren werden. Sie öffnet den nächsten Sack, entdeckt ein Paar Cowboystiefel, brüchiges goldenes Leder, Achtzigerjahre, 43, die Schuhgröße von Julius. Sie haben gestern telefoniert, er war begeistert von einem Film, den sie sich unbedingt ansehen müsse. April sollte längst zu Hause sein, Sam das Abendbrot zubereiten. Sie legt eine Kunstlederjacke auf den Haufen, eine Kinderbluse mit gekräuseltem Kragen, betrachtet eine Handtasche ohne Henkel, versucht, sich im Metallverschluss zu spiegeln. Kein guter Tag für Geschichten, denkt sie. Aus dem Grundstück gegenüber steigt Rauch auf. Da ist immer noch Laub vom letzten Jahr, hört sie eine Frau rufen. April zieht einen verblichenen Teppichläufer aus dem Sack. Ihr Blick verliert sich am Horizont, gleitet über das nahe Flachdach mit dem Gewirr aus Antennen, dünnen Masten und Drähten, wie aus einem halbierten Schädel wachsend. Sie hört ein Pferd wiehern, ein seltsamer Laut in der Stadt; am liebsten würde sie sich an die weichen Pferdenüstern schmiegen. Ein Mercedes hält gegenüber, zwei Frauen steigen aus, eine Tür wird zugeschlagen. Als die Frauen an der Gartentür klingeln, verspürt April Lust, sich dazuzustellen, als wäre sie ein weiterer Gast.

Ein stark gebräuntes Mädchen verlässt das Sonnenstudio links von ihr und betrachtet April, als hätte sie Nasenbluten oder riesige Pockennarben. Das Mädchen scheint irritiert: Eine gut gekleidete Frau wühlt in Lumpensäcken. Solltest du auch mal tun, liegt ihr auf der Zunge, blöde Tussi! Warum sie was gegen Tussis habe, hatte All gefragt. Ihre Antwort: Sie wäre selbst gern eine, traue es sich aber nicht. All hatte gelacht, entweder man ist eine Tussi oder keine, das könne man sich nicht aussuchen. So etwas aus dem Mund ihres Therapeuten! Tussi kommt von Thusnelda. Hatte ihr Vater nicht einst ihren Bruder Alex Thusnelda Morgenröte genannt? Meinte All das ernst? Sein Humor wirkte manchmal angestrengt.

»Tussis« wird auch das explosionsartige Ausstoßen von Luft während eines Hustenreizes genannt.

In ihrer Kindheit stellte sich April oft vor, was für ein Tier ihr Gegenüber sein könnte, und seit Kurzem ordnet sie die Menschen manchmal einem Typus zu.

Sogenannte »Wesen« sind begabt, ab und an esoterisch, schnell beleidigt, neigen zur Verehrung.

»Geschosse« sind laut, lustig, nicht immer konstruktiv, Außenwirkung ist ihnen egal.

»Gehopse« versuchen der Erdanziehung zu trotzen, sind dreist, freudig, entdecken Sternschnuppen zu den unmöglichsten Zeiten; Mangel an Geduld.

»Ach Gottchens« sind empfindsam, lesen romantische Geschichten, sehnen sich nach Anerkennung.

Regengeruch liegt in der Luft, der Himmel wird dunkler. April zieht einen grünen Pullover mit Hornknöpfen hervor, er müffelt stockig, es folgen zwei vergilbte Bettbezüge, ein Matrosenhemd. So ein Hemd trug April, da war sie Mitte zwanzig; noch heute erinnert sie sich an den Geruch der Sommertage, die Luft wie elektrisch aufgeladen, wenn sie frühmorgens ihre Lieblingsbar verließ, ganz und gar ein Gehopse. Sie vermisst diese Stunden nicht. Selbst wenn sie – selten genug – haltlos durch die Nächte irrt, denkt sie nicht mehr an verpasste Gelegenheiten. Routine gibt ihr Halt, obwohl es noch Tage gibt, an denen die Luft voller Widerhaken ist. Das letzte Stück aus dem Plastiksack ist ein langer roter Schal, auf dem »Eisern Union« steht.

Das gebräunte Mädchen kommt zurück, ein anderes

Mädchen im Arm, im Gegensatz zu ihrer Freundin ist diese bleich wie ein Stockfisch.

Die Mädchen bleiben kichernd vor ihr stehen. Die erste lässt ihren Blick über die Sachen gleiten. Wer will denn so was anziehen, fragt sie.

Als April nicht antwortet, holt sie ein Päckchen Zigaretten aus ihrer Tasche und zündet sich eine an. Gib mir auch eine, sagt die andere. Die Mädchen rauchen, stecken tuschelnd die Köpfe zusammen. Sie könnten auch Geschosse oder Wesen sein, denkt April und fühlt sich kurz gleichaltrig und sofort mittendrin. Sie steht auf, nimmt die Cowboystiefel und reicht sie der Gebräunten. Die sind spitze, sagt sie, mit einem Mini und schwarzen Strümpfen.

Abartig hässlich, entgegnet das Mädchen, echt eklig.

Igittigitt, die andere schüttelt sich; kanariengelbes Haar, die Fingernägel abgekaut, ruhelose Augen.

Echt eklig, wiederholt die Erste und schnipst ihre Kippe durch die Luft.

April ist wieder draußen, eine Erwachsene, sie lächelt geduldig. Ist doch egal, sagt sie und steckt den Schal ein.

Egal, egal, äfft die Gebräunte sie nach. Ist dein Schicksal, nicht unsers.

April spürt eine Ader an ihrer Schläfe pochen, versucht aber gleichmütig zu klingen: Passt auf, die Rabenkrähen sind wieder da. Sie deutet auf eine große Krähe in der Luft.

Die Kanariengelbe zieht eine Grimasse: Ich lach mich tot, noch nie 'nen Scheißvogel gesehen?

Gebräunte: Selten so gelacht.

Die solltet ihr nicht unterschätzen, sagt April und denkt sofort, dass sie Stuss redet; die sind echt gefährlich, fügt sie hinzu. April geht los, die Mädchen folgen ihr laut lachend. Sie geht schneller, überquert die Fahrbahn, und als sie glaubt, die beiden hinter sich gelassen zu haben, dreht sie sich um und ruft: Ihr seid so was von bescheuert! Noch während die Mädchen erneut zu lachen beginnen, peitschen Regentropfen aus dem dunklen Himmel, dennoch kann sie deutlich hören, was die Mädchen ihr hinterherrufen: Dämliche Tusse!

———

Ein heißer, stickiger Tag, die Bürodecke wie abgesenkt auf ihrem Gehirn. April fühlt sich müde, angeekelt vom Ewiggleichen.

Ich glaube, mit der Quote können wir leben, sagt Splitter vorwurfsvoll.

Aber wir könnten besser sein, entgegnet April und kommt seinem nächsten Satz zuvor.

Keiner ihrer Kollegen lacht. Sie sieht den Raum kurz von außen: in der Mitte ein Tisch, auf den Stühlen ihre gelangweilten Kollegen, die sich anstrengen, nicht gelangweilt auszusehen. Sie sind eine Gruppe, eine Quotengruppe, die für diese Fernsehsendung Menschen und Geschichten zurechtstutzt. Der Horizont schwappt durchs Fenster, Trostlosigkeit füllt den Raum. Sie muss an Ludwig denken, den sie seit Wochen nicht gesehen hat. Was würde er dazu sagen? April entdeckt einen Pickel im Nacken ihrer Nachbarin, Splitter lässt seinen Blick schweifen, er ist nicht der Typ, der jemanden ansieht. Er produziert und moderiert die Sendung, seine Lieblingsgeste: nach oben oder nach unten gereckter Daumen, je nachdem. Diese Geste kommt April alt und vererbt vor, als hätte sie schon sein Großvater gemacht.

Was gibt es heute, fragt er in die Runde.

Rosenkrieg, sagt ihre Nachbarin und hält die Bildzeitung hoch.

Das ist nicht mehr lustig, sagt er.

Sorry, aber die Schlampe hat ein demoliertes Gesicht, entgegnet ihre Nachbarin, und April spürt, alle verdrehen innerlich die Augen, wie anfangs auch bei ihr, wenn sie ein Thema angeboten hatte, wie: türkische Großmutter vor die Tür gesetzt. Splitters Antwort auf ihre Vorschläge: Wir werden das irgendwann verwerten.

Die Klimaanlage ist ausgefallen, eine fette Fliege umkreist den Tisch. April fragt sich, ob die Seele einen Geruch hat, ob sie nach Sellerie riecht, feuchtem Laub, nach Nagellackentferner.

Also, sagt Splitter.

April hat sich einen Vorschlag aufgehoben. Sie hat über Henker recherchiert. Seit ihrer Kindheit denkt sie über die Todesstrafe nach. Dieser bürokratische Todesweg erscheint ihr besonders schrecklich; am schlimmsten findet sie, dass der Verurteilte lebt, während der Schatten des Todes schon von ihm Besitz ergriffen hat.

Henker, sagt April. Es gibt noch lebende Henker, in Frankreich, in Polen, sogar in Bayern.

Eine Weile sagt niemand etwas. Noch Kaffee, fragt ihre Nachbarin.

Ich weiß nicht, sagt Jürgen, Splitters Assistent.

Henker, sagt Splitter, sind langweilig, die machen nichts her. Ist irgendwann zu verwerten, vielleicht.

Kann die Seele auch nach Scheiße riechen, fragt sich April. Nach Myrte, wenn sie im Himmel landet, nach Scheiße in der Hölle. Splitters Seele riecht eindeutig nach Scheiße. Sie atmet aus, nimmt den Notizblock und erschlägt den fetten Brummer vor sich auf dem Tisch.

Sie wird für den Rosenkrieg eingeteilt. Die Frau hat sich in einem Hotel versteckt.

Welches Hotel, fragt sie.

Splitter betrachtet die zerquetschte Fliege. Recherchiere, oder brauchst du ein Drehbuch!

———

April lässt sich von ihrem Sohn die Hausaufgaben zeigen. Er spürt ihre Nervosität. Seit sie von Ludwig getrennt leben, hat er eine Art Seismograf in sich ausgebildet, der jede ihrer Gefühlslagen registriert. Er trifft sich ab und an mit seinem Vater, kehrt stets reich beschenkt zurück. Sam ist gerade zwölf geworden. Eine große Kiste mit Schwertern, Gewehren, Pistolen steht in seinem Zimmer.

Kann ich noch fernsehen, wenn du weggehst, fragt er.

Ich bleibe hier, sagt sie.

Als sie gestern gegen Mitternacht nach Hause kam,

war Sam noch hellwach. Auf dem Fußboden verteilt sein wehrhaftes Spielzeug, in der Hand das giftgrüne Laserschwert, ein Geschenk von Ludwig. April hatte bei Sam gesessen und erzählt, wie sie die Frau fand, die sich im Hotel vor ihrem Mann versteckt hielt, wie sie mit Geduld und List an diesem Trottel von der Rezeption vorbeigeschlichen war, die Treppen hoch und er ihr hinterher: Hallo Fräulein, stehen bleiben, sofort stehen bleiben – sie hatte seine ungeschickten Schritte nachgemacht, sein langes Gesicht. Sam hatte immer mehr hören wollen, er liebt ihre Geschichten, besonders die gruseligen aus ihrer Kindheit.

Sie hatte ihrem Sohn verschwiegen, dass der Abend nicht gut ausgegangen war. Die Frau war zugekokst und betrunken gewesen, unfähig, auch nur ein Wort mit ihr zu wechseln. April brachte sie ins Bett. Dafür hat sie heute in der Konferenz Splitters Gebrüll ertragen müssen: Es sei nicht ihre Aufgabe, die Leute vor sich selbst zu schützen. Und während April sein Gezeter schweigend über sich ergehen ließ, hat sie das dringende Bedürfnis verspürt, sich selbst schützen zu können.

Sie bringt ihrem Sohn das Abendbrot. Er ist vertieft in die »Simpsons«, isst ein Stück Tomate, ohne den Blick vom Bildschirm abzuwenden. Neben ihm auf dem Sofa liegt Hugo, der Dackel. April versucht das schlechte Gewissen zu verscheuchen. Sie ist müde, wird früh schlafen gehen und nimmt sich vor, morgen gemeinsam mit ihrem Sohn Abendbrot zu essen.

Schlagen Sie Ihren Mann?
Dann rufen Sie an

Was hat sie sich nur dabei gedacht, dieses Thema vorzuschlagen: Gewalt von Frauen.

Splitter ist sofort einverstanden gewesen, das hätte April misstrauisch machen sollen – und die Blicke ihrer Kollegen, spöttisch, belustigt?

Sie kann sich atmen hören, als sie den ersten Zettel mit Tesafilm an die Litfaßsäule klebt, sie beeilt sich, es ist ihr peinlich: Schlagen Sie Ihren Mann? Dann rufen Sie an; darunter ihre Telefonnummer. Sie nimmt ihr Rad, fährt weiter, hält und klebt die Zettel an Geschäftsfenster, Zäune, Hauswände. Sie ist froh, als sie zu Hause ankommt, sie mag ihre Wohnung, obwohl sie ihr, seit der Trennung von Ludwig, zu groß erscheint. Sam ist noch nicht da, sie geht in sein Zimmer, bemüht, das Chaos zu übersehen. Spätsommerlicht fällt auf den Boden, April denkt, dass die Sommer in Berlin viel zu kurz sind. Sie nimmt die schmutzigen Teller und Gläser und räumt sie in die Spülmaschine.

Abends fragt sie Sam in der Küche englische Vokabeln ab. Er verzieht das Gesicht, spuckt einen Apfelkern aus. Sauer, sagt er. Sauer ist er auf seine Englischlehrerin, sauer ist er auf die ganze Welt, auf seine Mutter, seinen Vater: Warum musstet ihr euch streiten? Warum kommt Papa nicht mehr? Hast du ihn vergrault?

April betrachtet ihren Sohn. Das lockige Haar fällt ihm in die Stirn, die leichten Segelohren hat er von seinem Vater, auch die grünen Augen, das prustende Loslachen. Von der Statur her schlägt er ihr nach, auch April war in seinem Alter so schlaksig.

Ich will nicht mehr, sagt er.

Was willst du nicht mehr?

Er hebt die Hand, ballt sie zur Faust. Alles, sagt er, schlägt mit der Faust auf den Tisch. So hab ich's mir nicht vorgestellt.

Was?

Das Leben.

April umarmt ihren Sohn, versucht sich ihre Hilflosigkeit nicht anmerken zu lassen. Er darf die »Simpsons« sehen, und sie geht an seiner Stelle mit Hugo raus; das bedeutet, den Dackel vier Stockwerke nach unten tragen, damit das Tier nicht an der Dackellähmung erkrankt. Als sie zurückkommt, steht Sam im Flur: Mama, da hat eine Verrückte angerufen.

Verrückte? Was wollte sie?

Er zuckt die Achseln, bevor er in seinem Zimmer verschwindet, tippt sich an die Stirn: Die hatte einen Vollhau.

Spät in der Nacht klingelt das Telefon. April hört zuerst ein Lachen aus dem Hörer, laut und schrill, dann sagt eine betrunkene Frauenstimme, ich verprügle gerade meinen Mann, deshalb rufe ich an.

In den nächsten Tagen muss sie den Hörer nachts neben das Telefon legen. Die Anrufer nölen, beschimpfen sie, kein ernst gemeinter ist dabei. April fragt sich, wie sie so dumm sein konnte, ihre Telefonnummer öffentlich zu verteilen.

––––––––

Einer der letzten warmen Tage. April, Sam und seine Freunde liegen am See. Die Wiese riecht nach Sommer. April kann sich nicht auf ihr Buch konzentrieren, Hugo bellt, wimmert, winselt, die Kinder werfen ihn ins Wasser, und obwohl er schwimmt wie ein Otter, macht er ein irres Gezeter.

Lasst ihn in Ruhe, ruft sie.

Er will doch ins Wasser, ruft ihr Sohn zurück.

April ist sich nicht sicher, was der Dackel will, Freude und Angst scheinen bei ihm eins zu sein. Die besten Wachhunde sind die gestörten, hatte ihr mal jemand erklärt, die schon beim ersten Windhauch den Feind wittern; in diesem Fall spürt sie eine gewisse Verbundenheit mit dem Tier. Ihr läuft der Schweiß die Schläfen hinunter, doch sie kann sich nicht aufraffen, ins Wasser zu gehen.

Mindestens achtzig, hört sie ihren Sohn sagen.

Nee, der ist fünfzig, antwortet Victor.

Na dann eben fünfzig.

Sie raten das Alter der Badegäste. April hört die Langeweile in ihren Stimmen. Sie mag die Freunde ihres Sohnes, ist gerührt von ihren Versuchen, der Welt die Bestätigung abzutrotzen, dass sie richtig sind, so wie sie sind.

Marek schneidet Sam eine Fratze: Eh, Alter, du siehst aus wie dein Name.

Mein Name, wie soll der aussehen? Ihr Sohn untersucht sein Knie, berührt einen Leberfleck.

Na wie du, sagt Marek und lacht. Jeder sieht aus wie sein Name.

Marek ist der Sohn tschechischer Migranten, die Mutter ist ängstlich, der Vater streng, er sperrt ihn schon mal in den Schrank, wenn er etwas ausgefressen hat.

Hitzeschleier hängen in der Luft. April versinkt in der Geräuschkulisse.

Hierher, brüllt Sam, ich hab 'ne Riesenmuschel gefunden. Er steht bis zu den Knien im Wasser, hält die Muschel triumphierend in die Luft. Die Jungs springen ins Wasser. Victor schafft es, ihm die Beute abzujagen, die ist winzig, ruft er, total winzig. Er wirft sie Marek zu, der zerdrückt sie in seiner Hand.

Du hast meine Muschel getötet, ruft Sam.

Muscheln haben kein Fell, die kann man nicht töten, schreit Marek.

Die Jungs brechen in irrsinniges Gelächter aus.

Sie sind die Letzten am Strand. Der Abendstern leuchtet. Der See ist vollkommen still, sagt April.

Falsch, sagt Victor, da geht immer 'ne Welle. Er liegt auf seinem Handtuch, die Augen geschlossen.

Marek setzt die Wasserflasche ab und rülpst.

Hugo winselt leise.

Wir sollten aufbrechen, sagt sie.

Wenn's jetzt schneien würde, sagt Marek, das wäre genial.

Eine Brise vom See fegt über den Strand, ein dunkelgrauer Vogel hebt sich mit den Wellen, April erkennt ein Blesshuhn, es nimmt Anlauf, steigt mit schwerem Flügelschlag in die Luft.

Los, Jungs, sagt sie.

Sam kratzt sich geistesabwesend, doch dann springt er auf, rennt hierhin, dorthin. Beeilt euch, ruft er, sonst verpass ich die Simpsons. Hugo beginnt laut zu bellen. Aus!, schreit Sam, doch der Hund bellt weiter, er hat sich noch nie an irgendwelche Vorgaben gehalten. Sam wischt sich den Sand von den Füßen, fummelt an seiner Sandale. April versucht, ihn sich als alten Mann vorzustellen, sie fragt sich, ob er dann noch immer diesen wütenden und zugleich wehrlosen Blick haben wird.

Halloween

Sam und Daggi begutachten ihre Beute auf dem Küchentisch. Mein Anteil, sagt Daggi und deutet auf eine Packung Kaugummizigaretten. Gehören mir, erwidert Sam, doch da hat Daggi die Packung schon eingesteckt.

Dann kommen Victor und Marek, sie wirken trotz ihrer Kostümierung gelangweilt.

Eh, Alter, das ist Betrug, du bist nicht verkleidet, sagt Marek zu Sam.

Wieso erkennst du dich nicht? Ich gehe als du.

Ihr seht echt scheiße aus, sagt Daggi. Sie hat nichts zu melden, wenn die Jungs da sind. Aber sie ist zäh. So was von scheiße, wiederholt sie mit aufreizender Stimme, obwohl ihr Gesicht etwas anderes sagt.

April fotografiert: überdrehte Kinder vor bunten Papptellern, Girlanden, Zuckermäuse auf dem großen Schreibtisch, künstliche Spinnweben über dem Schrank. Die Jungs lassen sich von ihr bedienen, kann ich noch Cola, fragt Marek. Sie bringt Cola, Süßes und Chips, die Wiener Würstchen ähneln abgeschnittenen Fingern und rufen allgemeines Entzücken hervor.

Später sitzen die Jungs bei Sam vor dem Computer. Die Außenwelt ist mit dem Universum des Computerspiels verschmolzen. Sie reagieren nicht einmal, als Daggi sich verabschieden will. Ihr nervt, sagt sie, doch ihre Stimme verhallt ungehört, und keiner der Jungs bemerkt ihren eiskalten Blick, den sie hinter halb geschlossenen Lidern probiert.

Am nächsten Abend läuten Türglocke und Telefon gleichzeitig. Während April sich die nächste Beschimpfung anhört – Du Schlampe, ich hab ihn grün und blau geprügelt –, ist Sam zur Tür gegangen und mit seinem Vater zurückgekommen. Sie versucht zu überspielen, wie überrascht sie ist. Ludwig betrachtet sie mit verhaltener Zärtlichkeit. April, sagt er, schön, dich zu sehen.

Ich muss dir was zeigen, sagt Sam und will ihn in sein Zimmer ziehen.

Gleich, entgegnet Ludwig, erst muss ich mit deiner Mutter reden.

Sam ist längst im Bett, und sie reden immer noch: Ludwig möchte einen letzten Versuch. Er strengt sich an, sieht aber auch, dass sie seine Anstrengung bemerkt. Als April ihn umarmt, weicht die Anspannung aus seinem Körper. Du bist doch mein Glück, sagt er und beginnt zu weinen. Ich will dich nicht verlieren.

April kann sich seiner Zuneigung, seinen Schwüren nicht entziehen, doch sie ahnt, dass sein Wille, mit ihr

106

zusammen zu sein und auch ihren Ansprüchen zu genügen, verebben wird. Ludwig kann Feuer entfachen, aber nicht am Brennen halten. Eine Woche vielleicht, dann ist seine Energie aufgebraucht, er hält es nicht aus. Und was ist mit ihr? Korrumpierbar durch Zuneigung. Kaum gibt man April eine Handvoll guter Worte, liegt sie wie ein Käfer auf dem Rücken und strampelt mit den Beinchen.

Als hätten sie sich nie getrennt, spielen sie schon Tage später die Rollen in ihrer Beziehung, wie sie es jahrelang getan haben. Ludwigs sprunghafter Charakter verunsichert April nach wie vor. Wenn sein Pieper ertönt, muss er los, völlig klar – aber sie versteht nicht, warum er plötzlich ihre Pläne vom Vortag über den Haufen wirft. Er war es, der darauf bestanden hat, Heiligabend entspannt zu verbringen, einen Thriller anschauen, davor Bescherung, Kartoffelsalat. Nun packt er mit großem Brimborium den Tisch voll mit erlesenen Speisen aus dem KaDeWe: Belugakaviar, Blinis, frische Kirschen, eine Flasche Petrus; der Rotwein hat so viel gekostet, dass sie ihn nicht trinken mag. April stellt den Kartoffelsalat in den Kühlschrank, legt Stoffservietten auf die Tischdecke, zündet Kerzen an. Hugo liegt unterm geschmückten Weihnachtsbaum. Ludwig verteilt den Kaviar auf die Teller, sie heben ihre Gläser. Sam hat keinen Appetit, er starrt den Weihnachtsbaum an, als wolle er ihn mit galaktischen Kräften verschieben. Nach einer Weile steht er auf, geht in die Küche und bewegt sich dabei wie in einem Weltraumanzug. Er stöbert im Kühlschrank herum und ruft: Wann seid ihr endlich fertig.

Besinn dich, es ist Heiligabend, Ludwigs Stimme klingt angestrengt.

April spürt seine Hilflosigkeit und den Zorn darüber, dass ihr der Kaviar egal ist und ihr Gaumen einen so kostbaren Wein gar nicht würdigen kann.

Nach dem Essen packen sie die Geschenke aus. Sam freut sich über die seltenen Pokémonkarten, die Ludwig für ihn besorgt hat. Während er später in seinem Zimmer vor dem neuen Computerspiel sitzt, sehen seine Eltern Hannibal Lecter dabei zu, wie er in »Das Schweigen der Lämmer« seinen Petrus trinkt.

―――――――

Sie stellt ihn sich als Hahn vor: Splitter, der Hahn. Flügelschlagend, sich an seinem Kikeriki verschluckend. Eine Fähre ist untergegangen. Das soll Thema der nächsten Sendung sein.

Splitter wartet auf Vorschläge. Jürgen, sein Assistent, fasst zusammen: Bisher deutet nichts auf Sabotage, Bombenanschlag oder dergleichen hin.

Dergleichen, wiederholt Splitter, geht's genauer? Wie viele Tote, Verletzte? Wir brauchen einen Aufhänger.

Ein junger Mann meldet sich: Versicherung, sagt er, wer kommt für den Schaden auf.

Gut, David, recherchier das.

Es waren Kinder auf der Fähre, Familien, sagt Aprils Nachbarin, und ...

Traumata, fällt ihr Jürgen ins Wort.

Sind alle Toten geborgen?

Deutsche Opfer?

Wie viele waren überhaupt an Bord?

Leichen?

Es soll ein russischer Kapitän gewesen sein.

Hatten sie Zeit zu springen?

Die Rettungsboote haben geklemmt.

April sagt: Die meisten Überlebenden sind Männer.

Stopp, sagt Splitter, reckt den Daumen nach oben, das ist es, nur die Stärksten haben überlebt. Das ist unser Aufhänger. Er ruft April zu: Bring einen starken Mann, der rücksichtslos an Frauen und Kindern vorbei ist, nur auf sein eigenes Überleben aus.

April möchte im Boden versinken, ihr geht durch den Kopf, dass Splitter eine geruchlose Seele hat.

Ja, sagt Splitter, das wird was.

———

Der Fleurop-Bote legt ihr einen riesigen Strauß Rosen in die Arme. April freut sich über die Blumen. Sie liest das beigelegte Kärtchen, mag den Absender nicht. Schleimscheißer, murmelt sie und stellt die Blumen in eine Vase. Dann inspiziert sie die Räume für die Party am Abend. Sie öffnet ein Fenster und beugt sich hinaus. Vor dem Haus hocken Sam und Daggi und bieten lautstark ihre aussortierten Spielsachen zum Verkauf an.

He, ihr Süßen, ruft sie hinunter, doch die Kinder hören sie nicht. Es ist bewölkt und diesig, als würde ein Staubfilm über dem Himmel liegen. Sie muss an die Frau denken, die vor ihr in der Schlange bei Kaiser's stand, um die siebzig, zurechtgemacht wie ein großes Kind, und an ihren plötzlichen Impuls, sie zu umarmen. Was hat April immer nur mit den alten Frauen? Ihre Rührung gilt nie den jüngeren. Es hat lange gedauert, bis sie den Frauen das zubilligte, was sie für Männer selbstverständlich hielt. Schon sechsjährig stand sie neben ihrer Mutter, wenn diese, was täglich geschah, unglücklich losheulte, und tröstete sie mit kaltem Herzen. Der Vater verursachte diese Ausbrüche und war somit keine Hilfe. Stark war er nur in seinen Schlägen, liebenswert nur, wenn er Geschichten erzählte; immerhin konnte er liebenswert sein. Wenn ihre Mutter Gefühle zeigte, ähnelte sie einer sentimentalen KZ-Aufseherin, die ein besonders hübsches Kind ins Gas schicken *musste*. Das war zum Heulen! Weil das Kind so hübsch war und die Arbeit so schwer. Nie wie Mutter werden! Ein Gebet, eine Parole, ein Schlachtruf. Aber auch nicht wie Vater. Ein Schläger, Säufer und ein Geschichtenerzähler. Was hat er ihr vermacht? Wenn sie einen Mann beschreibt, trägt er nicht selten Züge ihres Vaters. Es fällt ihr schwer, Frauen zu beschreiben; dass sie selbst eine Frau ist, verstellt ihr den Blick. April hatte Frauen lange mit den Augen eines Mannes betrachtet. Wie viel Schönheit, Persönlichkeit, Sex sie zu bieten hatten – wie sehr sie infrage kamen –, um dann den Blick der Konkurrentin einzunehmen, beruhigt, neidvoll, eifersüchtig, je nachdem. Es hat gedauert, bis April den jungen, schönen Frauen und sich selbst etwas gönnen konnte. Wollte sie nicht einmal vor langer Zeit Seiltänzerin werden, Wolfsforscherin, mit einem Boot allein über die Weltmeere segeln? Aber auch Piratenbraut, die Braut von jemandem.

Es klingelt, sie hört Ludwigs Stimme, er hat kein Bargeld, sie geht runter zum Taxifahrer und bezahlt. Sie bleibt vor Sam und Daggi stehen, nimmt ein Buch, das neben den übrigen Flohmarktsachen auf der Decke liegt.

Warum wollt ihr das verkaufen?

Brauche ich nicht mehr, sagt Sam.

Und wie sieht die Ausbeute aus?

Ganz gut. Er betrachtet sie unruhig. Sind schon welche da?

Nein, sagt sie, die Gäste kommen später.

Sam mag den Trubel, er bietet den Gästen selbst gebastelte Zeitungen an oder führt ihnen Kunststücke vor.

Ihr müsst doch frieren, sagt April. Auch wenn es für März ungewöhnlich warm ist, weht ein kühler Wind.

Ist überhaupt nicht kalt, sagt Daggi und zeigt trotzig ihren nackten Hals.

April geht nach oben, überlegt, was noch zu tun ist für den heutigen Abend; Champagner aus dem Eisfach nehmen, Salat abschmecken. Ihr Kopf schmerzt, sie putzt sich die Zähne, nimmt ein Aspirin, bleibt eine Weile ganz nah vor dem Spiegel, versucht ihr Gesicht als das zu sehen, was es ist: ein Gesicht. Das kann niemand, murmelt sie und geht zu Ludwig, der am Computer sitzt. Komm mit, sagt sie und zieht ihn ins Bad vor den Spiegel, was siehst du?

Was soll der Blödsinn?

Ist es nicht seltsam, dass wir so etwas Verrücktes wie Zähne im Mund haben, fragt sie und bleckt das Gebiss.

Hast du Angst, sie beißen?

Nein, sagt sie, es bringt mich nur manchmal aus der Fassung, ein Mund, der lächelt, Zähne, Ohren.

Während sie die ersten Gäste begrüßt, wünscht sich April mehr Leichtigkeit, hier ein Küsschen, dort ein Küsschen, sie spürt, wie sie die Luft anhält. Der Pinguin ist da, so nennt sie einen Kollegen Ludwigs, der bei ihrer ersten Begegnung sagte, sie sei eine Calvin-Klein-Frau, und der seitdem kein Wort mehr mit ihr gewechselt hat. Er ist Augenchirurg, sie hat kürzlich von ihm geträumt. April wünscht sich, sie wäre Gast und nicht Gastgeberin. Sie bewegt sich mit trügerischer Heiterkeit durch die Räume, bietet Getränke an, spricht mit den Gästen; das hat sie inzwischen gelernt. Die Männer haben sich leicht geneigt um den Gastgeber geschart, als stünden sie am OP-Tisch, und hören Ludwig zu. Der Schleimscheißer, Assistent von Ludwig, lächelt verstohlen in ihre Richtung, seine Zähne leuchtend hell im solariumgebräunten Backpfeifengesicht; sie schenkt ihm das falscheste Zurücklächeln der Welt. Sie treibt mit offenen Augen durch den Raum, geht zu Hanna, der einzigen Krankenschwester – es ist schön, sich mit ihr zu unterhalten. Sam, der im Schlafanzug Zaubertricks vorführt. Gerade zündet er eine Kerze an, die sich nicht auspusten lässt. Während sie ihn ins Bett bringt, versucht er zu feilschen, aber sie lässt sich nicht beirren, morgen früh ist Schule, sagt sie, und keine Ausnahme diesmal. April hat nichts gegessen, sie spürt den Alkohol, trinkt eine halbe Flasche Wasser, spürt die Schritte der Gäste in ihrem Kopf. Wenn sie sich doch konzentrieren könnte, denkt sie und stellt sich zum Pinguin, erzählt von ihrem Traum: Stellen Sie sich vor, sagt sie, ich habe von Ihnen geträumt, und in meinem Traum haben wir ein ganz normales Gespräch geführt.

Pinguin begreift nicht und hüstelt verlegen.

Sie schneidet eine Grimasse, sagt: Ein normales Gespräch mit Ihnen ist, als würde ich mit einer Giraffe auf Sächsisch kommunizieren.

An seinem Gesichtsausdruck erkennt April, dass sie es vermasselt hat. Pinguin lächelt, und sie meint genau zu sehen, wie er denkt: Was will sie von mir?

Ist ja gut, sagt sie, es war nur ein Traum.

April spürt ihren Herzschlag pochend zwischen den Zähnen, es fühlt sich an wie rhythmische Stromstöße auf dem Zahnfleisch. Sie sieht zu Ludwig hinüber, junge Männer folgen aufmerksam seinen Worten, sind bereit zu lachen, seine Begeisterung oder Ablehnung zu teilen, je nachdem. April wechselt einen spöttischen Blick mit Hanna, begrüßt ihre spät gekommenen Freunde: Endlich, sagt sie, ich hab schon Hornhaut angesetzt.

Du siehst aus wie auf Besuch in deinem eigenen Leben, flüstert Keller ihr zu.

Sie zeigt Hanna ihr Geheimversteck; holt das Buch »Der Graf von Monte Christo« aus dem Regal, schlägt die Stelle auf, an der Geldscheine liegen. Wenn ich nichts mehr besitze, sagt sie, haut mich das raus. Sie erzählt ihr von der Angst, im Dreck zu landen, ganz unten, den Pennern ihre Goldplombe entgegenreckend, als Beweis dafür, dass sie nicht immer arm war.

Vorm Fenster ragt ein Ast wie eine Knochenhand in die Luft, kurz sieht April ihre Gäste wie auf einem von Ludwigs Röntgenbildern. Sie trinkt das nächste Glas, geht zu Hanna und sagt, komm, ich hab was für dich. Sie öffnet den Schrank, nimmt einen Kragen aus Wolfs-fell heraus – schenk ich dir, sagt sie, das steht dir sicher ganz wunderbar. April ahnt, dass ihr Angebot über-griffig ist, aber sie kann nicht anders. Hanna bedankt sich verlegen, umarmt sie.

Zwischen all den Geräuschen meint April ein Sum-men zu hören, als würde eine dicke Fliege durch den Raum fliegen. In der Vorahnung eines Déjà-vus legt sie eine CD ein, dreht die Musik auf, zu laut, wie sie gleich bemerkt, denn das Summen verstummt. Ludwig sieht sie an. April stellt die Musik leiser, wird traurig. Sie muss etwas dagegen tun, trinkt ein Glas, raucht eine Zigarette. Doch dann denkt sie, dass es ein Fehler war, die Musik leiser zu stellen. Der Blick von Ludwig hatte vielleicht was mit Liebe zu tun. April leert eine zweite Wasserflasche, zieht ihre Schuhe aus, läuft mit nackten Füßen durch die Wohnung, redet mit den Gästen, lacht, sicher zu laut, aber es ist ihr egal.

Am nächsten Morgen kommt sie kaum hoch, Ludwig schläft noch. Sam sitzt schon angezogen am Tisch. Sie gibt ihm Geld, ich kann dir heute kein Frühstück machen, sagt sie. Ein Kuss auf die Stirn und April ist wieder im Bett. Nach kurzem traumlosem Schlaf erwacht sie, hört Ludwig aus der Küche. Bevor sie die Tür öffnet, der Moment, in dem sie die Luft anhält. Guten Morgen, sagt sie.

Er sieht von seiner Zeitung hoch, lächelt. Und wie fandest du es, fragt er.

Ganz gut. April nimmt ein Aspirin.

Sie trinken Kaffee und werten den Abend aus. Er zeigt ihr eine SMS vom Schleimscheißer: Was kann ich tun, damit Ihre Frau mich mag?

Dieses Arschloch, sagt sie, nichts kann er tun.

So schlimm ist er auch nicht, sagt Ludwig. Du musst ihn ignorieren.

Aber hast du nicht gemerkt, fragt sie, dass du knietief im Schleim gestanden hast?

Sie ist dünnhäutig, verkatert, trinkt ein Glas Wasser mit schnellen Schlucken.

Ludwig nickt und schaut wieder in die Zeitung.

Mit großer Klarheit nimmt sie sein Gesicht wahr, noch immer ein Kindergesicht, müde, gereizt, und sie weiß, das könnte der Auftakt zu einem Streit sein.

Es hat dir gefallen, sagt sie und spürt das Bedürfnis, etwas Hässliches zu sagen. Der ganze Schwarm von jungen Assistenzärzten um dich herum? Warum bedeutet dir das so viel?

Nicht jetzt, sagt er.

April ist sofort wütend, obwohl sie ihre Medikamente genommen hat. Sie spürt Tränen aufsteigen und greift auf ihren alten Trick zurück, stellt sich vor, seinen Körper mit einem schnellen, sauberen Schnitt in zwei Hälften zu teilen, die Organe freizulegen, Herz, Lunge. Er ist tot, ehe er ihr antworten kann, und sie muss nicht heulen.

Nachmittags joggt sie mit Keller durch den Schlosspark. Obwohl er täglich läuft, kann April sein Tempo mithalten, ohne zu keuchen.

Ich kann mir nicht mehr vorstellen, mit Ludwig alt zu werden, sagt sie.

Was für eine Neuigkeit, ruft er aus.

Es wird mir klarer, sagt sie.

Warum gerade heute?

Ludwig hat sich verändert, sagt sie, Dinge, die ihm früher unwichtig waren, stehen inzwischen an erster Stelle.

Keller bleibt stehen und streckt sich. Warum gehst du nicht endgültig?

Wenn es so einfach wäre. Auch April bleibt stehen, hebt die Arme, atmet aus.

Was hindert dich?, sagt er und läuft weiter, sie sprintet ihm hinterher. Nichts und alles, ruft sie. Wie fandest du den Abend gestern?

Oh Gott. Schrecklich. Lauter Leichen.

Keller, *du* bist schrecklich. So schlimm war es nicht.

Ich habe jetzt noch Gänsehaut.

Es waren nicht nur Idioten da, sagt sie und kommt nun doch außer Atem.

Keller läuft und schweigt, sie kann sein Schweigen hören, es muss ihn anstrengen. Sie seufzt. Ludwig kann nichts dafür, sagt sie. Er ist ein guter Mensch.

Ich kann es nicht mehr hören, antwortet Keller und wirft ihr einen wütenden Blick zu. Warum sagst du ständig, er wäre ein guter Mensch? Wenn er eins nicht ist, dann ein guter Mensch. Merkst du nicht, wie absurd das ist? Er läuft schneller, sie kommt kaum nach.

Ich versteh dich nicht, ruft sie.

Keller ruft laut: Niemand muss von seinem Partner sagen: Er ist ein guter Mensch. Es sei denn, man will ihn verteidigen. Du bist sonst nicht so dumm.

———

Ich hab einen, sagt April, und es hört sich an, als habe sie einen Fisch an der Angel. Es hat sie Mühe gekostet, einen Überlebenden der untergegangenen Fähre zu finden, der bereit ist, sich vor die Kamera zu stellen.

Was sagt er? Splitters Blick gleitet über ihre Köpfe auf den Hof hinaus.

Er war allein unterwegs, sagt sie, deshalb konnte er sich retten. Er hatte keine Familie, um die er sich kümmern musste, fügt sie hinzu.

Schon klar, sagt Splitter, und?

Es gab ziemlich schnell eine gefährliche Schräglage, er musste sofort runter vom Schiff.

Das mussten alle. Splitters Stimme hat sich eine Oktave höhergeschraubt. An Frauen vorbei, an Kindern, ohne zu helfen?

Nicht jeder ist ein Held, sagt sie.

Hat dein Nichtheld die Schreie gehört? Es sind Kinder und Frauen in Panik totgetrampelt worden. Das will ich in der Sendung haben.

April ist müde. Das Letzte, worauf sie Lust hat, ist ein Streit mit Splitter.

Hilf seiner Erinnerung auf die Sprünge, sagt er.

Sie nickt, schlägt Splitter seinen Hahnenkopf ab, sodass er flügelschlagend, kopflos weiterredet und sie sich nicht bemühen muss, ihn zu verstehen.

Sie trifft sich mit ihrem Überlebenden in einer Kneipe. Er sitzt an einem Ecktisch, kaum zu erkennen in dem rauchverhangenen Dunst, vorgebeugt über sein Bierglas, ungefähr sechzig, mit Bartstoppeln und einer Baseballkappe. Ganz und gar unbrauchbar, denkt sie, und dass sie ihn brauchbar machen muss; ihr Mitgefühl soll sich zum Teufel scheren. Seine Stirn glänzt, er redet viel und schnell, als müsse er sich beruhigen. Seine Bedenken überhört sie höflich, nach dem dritten Bier liegt seine Hand auf ihrem Oberschenkel, sie nimmt sie sanft herunter, wiederholt seine Worte deutlich: Ich bin an Frauen und Kindern vorbei, ihre Schreie waren fürchterlich, aber ich hatte nur eins im Sinn, ich musste mich retten.

Ihr Überlebender steht mit Splitter im Scheinwerferlicht. Eine Assistentin tupft ihm den Schweiß von der Stirn. Er trägt einen Anzug, eine orangefarbene Krawatte und fühlt sich unwohl. Er sucht ihren Blick, und als sie ihm aufmunternd zunickt, versucht er zu lächeln. Splitter bietet ihm einen Platz an, setzt sich ebenfalls, das Publikum klatscht, sie sind auf Sendung. Splitter spricht mit ihm über Leben, Familie, Arbeit. Er ist Lkw-Fahrer, das Gespräch plätschert vor sich hin, dann feuert Splitter seine erste Frage ab: Warum haben Sie nur an sich gedacht!

Ihr Überlebender will die Frage überspielen, erzählt, wie furchtbar schnell alles ging, doch Splitter wiederholt die Frage.

April sieht seinen Scheitel, den der Kamm durch die kurzen silbergrauen Locken gezogen hat; alles umsonst, denkt sie, denn Splitter bleibt unerbittlich, sein Ton wird anklagend.

Sie sitzt im Hintergrund, die Sekunden wie festgeklebt, möchte alles rückgängig machen und ist doch erleichtert, als sie ihren Überlebenden sagen hört: Ich habe Frauen und Kinder im Stich gelassen, ich hatte nur eins im Sinn: Ich musste mich retten.

Ihre Kollegen zeigen April den erhobenen Daumen, und Splitter möchte seinen am liebsten aus dem Handgelenk schütteln, sogar sein Lächeln sieht echt aus.

Ante finem

Ludwig liegt seit Stunden im Bett. Ein früher Nachmittag, das Zimmer abgedunkelt, die Nachtischlampe an. Er möchte, dass April und Sam sich zu ihm setzen. Vor ihm liegt ein Märchenbuch. Ich möchte euch vorlesen, sagt er.

Sam nickt, meint aber weder ja noch nein. Ludwig schaut erwartungsvoll und beginnt aus »Hans im Glück« zu lesen. Sie sitzen da und lauschen der Geschichte. Aber Ludwig ist nicht bei der Sache. Obwohl er sich Mühe gibt, es zu verbergen, spürt sie seine Nervosität.

Geht es dir gut, fragt April.

Er nickt, mit einem ihr unvertrauten Lächeln, sieht akkurat über sie hinweg, fixiert einen Punkt an der Wand.

Sie steht auf und zieht den Vorhang zurück.

Was ist? Ludwig blinzelt ins Sonnenlicht.

Ich weiß es nicht. Sag du es mir.

Er wirkt erschöpft und sanftmütig, als er das Buch zur Seite legt.

Sie weiß es in dem Moment, als er es ausspricht; sie weiß, dass etwas endgültig zu Ende geht.

Ich habe nachgedacht, sagt er, du solltest mir deinen Anteil der Wohnung überschreiben, und ich zahle dich aus.

Warum jetzt, fragt sie.

Was Ludwig ihr nun zu erklären versucht, hört sich falsch an.

Sam lacht, peinlich berührt. Ein Äderchen pulsiert auf seiner Stirn, er steht auf und geht hinaus.

Du willst dich von mir trennen, sagt April.

Was für ein verrückter Gedanke. Vertrau mir, sagt er, seine Stimme hat den Beschwörungston angenommen.

Bist du deshalb zurückgekommen? Sie spürt den Eispfropfen in der Brust, der sich löst, ihr seine Kristalle in die Kniekehlen jagt. Sie hat dieses Empfindungsgewitter mit All analysiert, doch sie kann sich noch immer nicht davor schützen. Ihr Atem wird flach. Warum machst du das, fragt sie.

Du musst mir vertrauen, sagt Ludwig und kneift die Augen zusammen, als käme eine Migräneattacke auf ihn zu, aufsteigende Tränen ersticken seine Stimme. Es fällt mir nicht leicht, sagt er, aber es muss sein.

April schlägt mit der Faust gegen die Wand, so heftig, dass ihre Fingerknöchel anschwellen.

Eine helle Explosion, die Ludwig erlöst. Er geht.

———

Splitters Worte: Die Menschen lieben Dramen, besonders die tödlichen. Er akzeptiert Aprils Themenvorschlag: Suizid; auch ihre Fragen, sogar den Gast.

Ein Frau, um die sechzig, die ergrauten Haare kurz geschnitten, Yin-Yang-Ohrstecker, knallrote Lippen. Nichts deutet darauf hin, dass sie vorhatte, sich umzubringen. Aus dem Leben kommst du nicht lebend raus ist ihr Motto. Sie habe nicht vor, sich zu Tode zu fürchten – dann lieber gleich weg! Besser tot als das ganze Leben Winterschlaf. Ihre Stimme ist fest, als sie von ihrer Angst erzählt, kein Arzt hatte ihr helfen können, und die Tabletten waren eine ewige Betäubung. Ihre Tochter hatte sie gefunden, als sie mit einer Plastiktüte über dem Kopf auf ihre Wiedergeburt wartete.

Als was wollten Sie wiedergeboren werden, fragt Splitter.

Ich würde gern ein Mensch sein, antwortet die Frau.

————

Sie träumt den Traum seit Jahren. Kinder, acht-, neunjährig, Mädchen und Jungen, werden von Uniformierten aufgefordert, sich auf eine Bühne zu stellen, um dort eine Erschießung zu spielen. Die Kinder lassen sich von den Erwachsenen überzeugen und gehen frohgemut nach vorn. Sie summen und stellen sich nebeneinander. Die Männer beginnen zu schießen – es sind echte Patronen, die Kinder werden getroffen, knicken ein, fallen zu Boden. Aber sie richten sich wieder auf, ungläubig, versuchen weiter gerade zu stehen: Es ist doch nur ein Spiel. Erst als die nächste Salve kommt, zeichnet sich das Begreifen langsam auf ihren Gesichtern ab. Sie stürzen, noch immer ungläubig, und sterben.

April wünscht sich, der Traum wäre endlich ausgeträumt. Sie zieht die Gardinen zurück, graues Dämmerlicht erfüllt das Zimmer. Es ist früher Morgen, schlaftrunken weckt sie Sam, der tausend Jahre weiterschlafen möchte. Beim Frühstück bleibt er wie immer wortkarg, trinkt nur seinen Tee; morgens scheint ihm sein Zuhause ein öder Ort zu sein. Als Sam sich verabschiedet hat, trägt April den Dackel nach unten und lässt ihn im Gebüsch verschwinden. Dann geht sie in die Bäckerei, und während sie ihren Kaffee trinkt, erfährt sie von der Verkäuferin, was so los ist im Viertel. Aber das ist ein Vorgeplänkel zu ihrem eigentlichen Thema: Fußball. Einmal nur hat April den Unionsschal aus der Altkleidersammlung getragen, seitdem weiß sie über den Verein Bescheid, kennt die Eigenarten des Trainers und natürlich jedes Spielergebnis; die Verkäuferin besitzt Autogramme sämtlicher Spieler.

Doch heute möchte April nicht sprechen, sie fühlt sich wie unter Wasser. Vor zwei Monaten ist Ludwig ausgezogen. Er hat am Vorabend angerufen, um über die Aufteilung der Wohnung zu sprechen. April will ein Satz nicht aus dem Kopf gehen: Du wirst schon sehen, wie das ist, wenn mein Glanz nicht mehr auf dich abstrahlt. Nach einem kurzen Auflachen wurde ihr klar, dass er es ernst meint.

Mit Hugo an der Leine streift sie durch die Straßen, in denen sich die restaurierten Fassaden der Häuser ähneln, betrachtet den Tinnef in den Schaufenstern: Matruschkas, asiatische Winkekatzen, Spielzeug für den infantilen Erwachsenen. Sie öffnet einen blauen Plastiksack, der neben einem Altkleidercontainer steht, ganz oben liegt eine alte Handtasche aus brüchigem Krokoleder. Mit der Tasche unter dem Arm geht sie weiter. Vor Kaiser's steht der Bettler mit der Spiegel-brille. Er nimmt sie ab, kaum sieht er April, und be-grüßt sie, als wären sie miteinander verabredet. Sie kann seinen Schnapsatem riechen; wenn es so etwas gibt wie ehrliche Augen, hat er sie – doch heute gibt sie ihm kein Geld.

———

Splitter verschluckt sich vor Lachen, all ihre Kollegen lachen schallend. April hat etwas gesagt, was den Lach-anfall ausgelöst hat, aber sie hat keine Ahnung, was da-ran lustig sein soll – das passiert ihr immer öfter.

Splitter will in seiner nächsten Sendung Frauen vor-stellen, die Verbrecher lieben. Der Vorschlag kam von seinem Assistenten, und sie sieht ihm an, wie stolz er darauf ist. Ein guter Vorschlag, findet auch sie, doch April weiß nur allzu gut, dass Splitter es vermasseln wird.

Eine Frau kommt zur Vorbesprechung. Sie heißt Monique, eine alt gewordene Häsin, große ramponier-te Ohren; wenn sie redet, zuckt ihre Nase mümmelnd.

Sie hat ihren Liebsten über eine Anzeige kennengelernt. Er sitzt im Knast, und sie scheint glücklich darüber. Der Liebste ist Mitglied im Tierschutzverein, kocht gerne, mag Sonnenuntergänge und hat mehrere Frauen vergewaltigt.

Mehrere, fragt Splitter.

Zwei oder drei, antwortet Monique.

Als sie gegangen ist, reißt Splitter den Daumen nach oben, die hab ich im Kasten, sagt er, fixiert die Wand hinter April. Was sagst du?

Sie zuckt mit den Schultern. Eine ehrliche Antwort würde nur einen weiteren Lachanfall auslösen: Etwas an der alten Häsin erinnert sie an sich selbst. An die Sehnsucht, eine Öse im Korsett zu lockern, ein wenig zu verkommen – und dafür war nicht einmal ein Mann im Gefängnis nötig, der sie brauchen und ihr doch nicht zu nahe kommen würde.

———

April hat die Scheidung eingereicht. Sam wird dreizehn. Daggi schenkt ihm einen Zauberkasten. Das ist seine Lieblingsbeschäftigung dieses Sommers gewesen: Zaubern. April hat den Eindruck, als wolle Daggi mit dem Geschenk an eine Zeit anknüpfen, die bereits vorbei ist, obwohl sie nur wenige Wochen zurückliegt. Sams Freunde poltern durch die Räume, ihre Rufe und Schreie übertönen sogar die laute Musik. Hugo ist außer sich, springt bellend in die Luft, als würde er rohes Fleisch riechen. Plötzlich steht Ludwig im Raum, ohne dass sie sein Kommen bemerkt hat. Er sieht verändert aus, ein abenteuerlustiger Mann in einem gelben Pullover und Basketballsneakern. Ludwig lächelt sie an, setzt sich zu den Kindern, macht eine weite, geheimnisvolle Geste, erklärt ihnen, er komme direkt von Kuat, einem Planeten aus der Star-Wars-Galaxie. Sam lächelt glücklich.

Ludwig vermittelt ihr ein Gefühl von Verbundenheit. Die Scheidung erwähnt er mit keinem Wort, er berichtet ihr stattdessen von einer blöden Sache. Ludwig hat sich in einer Fachzeitschrift negativ über die Wirksamkeit eines Medikaments geäußert und ist damit einem Kollegen in den Rücken gefallen.

Ich dachte, ihr seid befreundet, sagt April.

Es könnte mir das Genick brechen, sagt er. Ich hätte es nicht öffentlich machen sollen, zumal die Langzeitstudien noch nicht ausgewertet sind. Ich bin zu weit gegangen. Was soll ich tun?

Deswegen hast du es getan, sagt April, weil es dir das Genick brechen könnte.

Sie hat längst begriffen, Ludwig muss den Grund unter sich in einen brodelnden Abgrund verwandeln und das Gefühl haben, der Sturz sei unausweichlich, wie ein Spieler, der blufft, obwohl alles verloren ist. Eine letzte Gemeinsamkeit, die sie teilen. Auch April muss die Seile kappen, auf denen sie sich wie eine Seiltänzerin bewegt, ohne nach unten zu schauen, sie muss alles zerstören, sodass es kein Zurück mehr gibt und sie sich im vertrauten Elend einrichten kann. Bisher ist Ludwig immer davongekommen, und seine Einsätze werden höher. Er kann sich seinem Gegenüber anpassen, einfühlsam wirken; April nennt es zweckgebundene Empathie. Mitgefühl bleibt nicht folgenlos, hatte sie ihm einmal erklärt, und er hatte es verstanden – für einen Augenblick, doch das war in einer Krise, und in Krisen brauchte er seine Frau. Schon wenig später lebte er wieder sein altes Credo: Gute Chirurgen sind Techniker, und Mitgefühl muss nichts bedeuten; denk an Hannibal Lecter, mit welch hohem Grad an Empathie er sich in seine Opfer einfühlen konnte.

April ist trotzdem verwundert über seinen Anruf Tage später. Er beschimpft sie, außer sich vor Wut. Er ist stillschweigend davon ausgegangen, dass sie den Scheidungsantrag zurückgezogen habe. Deine Schonzeit ist nun abgelaufen, sagt er. Ich werde dich zertreten wie einen Parasiten.

Hallo, möchte ihm April zurufen. Ich bin es. Kennst du mich nicht mehr? So klingt seine Stimme nur, wenn er über einen Feind spricht.

Du wirst mir sogar die ganze Wohnung überschreiben, sagt er, dann kannst du deine Scheidung haben.

Ich werde gar nichts tun, sagt sie.

Sieh dich vor, sagt er. Ich werde dich vernichten.

Du kannst mich mal, sagt April trotzig und fühlt ihre Knochen schwer werden vor Zorn.

Ich werde dir Sam wegnehmen.

Du wirst was?

Du hast richtig gehört.

Wie willst du das tun?

Ich mach ihm klar, wer du wirklich bist.

Kurz fehlen ihr die Worte. Du liebst Sam doch. Das bringst du nicht fertig.

Ich werde mir dabei nicht selbst die Finger schmutzig machen.

April legt den Hörer auf.

Zuerst ist sie ungläubig. Dann kehrt ihr Zorn zurück und sie ist wütend über ihre Fassungslosigkeit. Wie oft hat sie sich gesagt: Sieh den Menschen ganz. Was Ludwig seinen Feinden antut, kann er auch seinen Freunden antun, er muss sie nur zu seinen Feinden erklären.

Bei ihrer letzten Begegnung hatte Ludwig sie kalt und distanziert angesehen, wie verwundert, sie gekannt zu haben. Nur noch Verachtung für sie übrig. Doch auch April betrachtet Ludwig anders. Ungläubig, ohne Rührung, sie muss an Keller denken – warum hat sie betont, dass Ludwig ein guter Mensch sei?

Als Splitter sie in der Redaktionskonferenz anspricht, hört sie weder seine Worte noch die Stille danach. Erst durch sein Fingerschnippen taucht sie auf, beantwortet seine Frage, als wäre nichts geschehen.

Sam wird von einem Jungen aus der Schule schikaniert. April ruft die Mutter des Jungen an und bekommt zu hören, dass sie sich da raushalten solle. Sam verschanzt sich in seinem Zimmer, ist wütend, dass sie sich einmischt – will die Angelegenheit selbst regeln. April aber hält den Schmerz ihres Sohnes nicht aus. Sie wird panisch, als wäre sie die Leidtragende, fühlt sich immer noch als das verstoßene Kind; doch ihre Unfähigkeit multipliziert sein Unglück. Sam versucht sich abzuhärten. Er liegt in den Winternächten unter dem geöffneten Dachfenster, in warme Decken gehüllt, und sein Atem bildet Wolken in der frostigen Luft.

Er entgleitet ihr, doch wenn er Fußweh hat – Wachstumsschmerzen, sagt die Ärztin –, weckt er seine Mutter, und sie massiert seine Füße, singt ihn leise in den Schlaf.

Ludwig hat in die Scheidung eingewilligt. Sie einigen sich schriftlich darauf, dass er die Bilder und Grafiken behält und sie die Möbel und alles andere aus der Berliner Wohnung. Er holt die Sachen ab, als sie nicht da ist. In einem weiteren Brief beansprucht er ein altes Tintenfass.

Ab und an sitzt sie in der Kneipe von Daggis Eltern, redet mit Daggis Vater, der hinter dem Tresen steht. Seine Cocktails heißen »Harmonie«, »Engel«, »Eintracht«. Sie bestellt immer einen »Erlöser«, der woanders »Daiquiri« heißt.

Sie spürt die Kälte nicht, tanzt in Sommerkleidern bis zum Morgengrauen, wechselt Frisuren und Haarfarben. Doch es gelingt ihr nicht, Freude zu empfinden. Sie kommt sich vor wie früher als Kind, als auf Freude stets Ernüchterung, dann Strafe folgte.

Exitus in tabula

Anfang Winter. Ludwig erklärt ihr, dass er sie nicht mehr unterstützen könne, er müsse seine Hemden schon bei H & M kaufen. Er zeigt April seine geöffneten Handflächen: Glaub mir, sagt er mit harter Stimme. Die Welt löst sich auf, nichts ist mehr sicher – er redet weiter in großen Sätzen. Der Himmel ist gleißend hell, verstellt ihr den Blick, sie glaubt ihm kein Wort. Du bist doch verpflichtet, sagte sie … Ludwig unterbricht sie, sie wisse doch, dass er sich nie an Regeln oder Gesetze gehalten habe.

Sie versucht einen Witz daraus zu machen, doch er sagt scharf: Es wird nach meinen Regeln gespielt. Was du willst oder dir wünschst, ist egal.

Es hatte immer eine Art Verbundenheit zwischen ihnen gegeben, einen Rest Liebe und Komplizenschaft – nun aber stürzt April aus allem heraus.

Ludwig schickt einen Assistenten, der seine restlichen Unterlagen abholen soll. Warum macht er es nicht selbst, fragt sie sich, doch sie sammelt alles zusammen, was sie findet, und übergibt den Umschlag dem Mann. Das ist aber wenig, sagt der Kollege, und April antwortet: Der Rest war unwichtiges Zeug, alte Ärzteblätter und Rechnungen, das ich entsorgt habe.

Ludwigs Anwalt stellt fest, dass seinem Mandanten wichtige Unterlagen fehlen. Er solle selbst nachsehen, lässt sie mitteilen. Als Ludwig kommt, braucht er in der Wohnung nur wenige Minuten, um zu sehen: Es ist nichts da. Seine Unterlagen fehlen.

Welche Unterlagen, fragt April.

Das wirst du früh genug erfahren, sagt er.

Wenige Wochen später liest April in dem Brief seines Anwaltes, dass sie einen Teil seiner beruflichen Existenz vernichtet habe.

Sie denkt nicht mehr, dass es sich um einen Irrtum handelt. Ludwig meint es ernst. Wenn sie zum Briefkasten geht, schlottern ihre Knie.

Wochen später teilt sein Anwalt mit, ihre groß angelegte Vernichtungsaktion habe Ludwig schwer getroffen, weshalb er seine Zahlungen einstellen werde.

Sie trifft sich mit Keller. Du musst was tun, sagt er, die Grammatik der Lügen entziffern.

Alle Unterlagen sollen sich in dem Ärzteschrank befunden haben, der in Ludwigs Zimmer steht.

Sein Anwalt hat geschrieben: »Hochbrisantes biologisches Material«, dessen Inhalt aus Sicherheitsgründen nicht genannt werden könne, sei vernichtet worden. Es wäre ein nicht wiedergutzumachender Verlust; sollte es größeren Kreisen bekannt werden, dass diese Unterlagen abhandengekommen sind, wäre sein Ruf als Chirurg nachhaltig beschädigt; in Fachkreisen wird Ludwig bereits als zweiter Theodor Billroth gehandelt.

Dieses Material habe sich »u. a.« in einem dünnen braunen Umschlag befunden, und dieser Umschlag sei »u. a.« in einer alten Ausgabe des Ärzteblattes versteckt gewesen.

Das kann nur ein schlechter Witz sein, sagt sie, doch was heißt u. a.? Warum überhaupt in einem alten Ärzteblatt?

Hast du nicht zu seinem Mitarbeiter gesagt, du hättest alte Ärzteblätter entsorgt, fragt Keller.

Wenn wirklich hochbrisantes Material in einem alten Ärzteblatt versteckt war, warum hat er es dann all die Monate nicht abgeholt, fragt Aprils Anwältin.

Hochbrisant, sagt Keller, auf der Liste steht hochbrisant, nicht brisant, typisch für Ludwig. Die Herkunft von brisant, abgeleitet vom französischen Verb briser: zerbrechen, zertrümmern. Synonyme: feuergefährlich, hochexplosiv. Umgangssprache: heiß. Sie treffen sich täglich, versuchen zu rekonstruieren, doch schon trifft die nächste Anschuldigung ein.

Irgendwann wird es ihm leidtun, sagt April.

Nein, sagt Keller, er blickt nie zurück.

Spätabends, wenn Sam schläft, verlässt April die Wohnung. Sie läuft durch Straßen, bis sie erschöpft ist, manchmal verläuft sie sich, trinkt Bier in irgendeinem Spätkauf, redet mit fremden Menschen. Früh erwacht sie mit dem vertrauten Gefühl aufsteigender Angst.

Sie erhöht ihre Tablettendosis. Sie bekommt jucken-
den Hautausschlag. Im Spiegel sieht sie etwas Kaputtes
in ihren Augen. Sie verspürt Mordgelüste, stellt sich
vor, Ludwig mit einer Pistole aufzulauern und zu sagen: Bis hierhin und nicht weiter. Tagsüber versucht
sie ihre Sorgen vor Sam zu verbergen. Sie steht vor
dem Briefkasten, als wäre er ein gepanzertes Ungetüm,
das ständig neue Anschuldigungen ausspeit. Es treffen
Bekenntnisse, eidesstattliche Erklärungen ein, von Pro-
fessoren, Privatdozenten, Fachärzten, einer Facharzt-
anwärterin, Assistenzärzten, einem berühmten Hirn-
chirurgen, von einer Redakteurin des Ärzteblattes,
vermeintlichen Freunden und natürlich von Ludwig.
Sein Assistent berichtet in einer eidesstattlichen Erklä-
rung besonders ausführlich, geradezu literarisch, mehrere Seiten lang, als wolle er jemanden beeindrucken.

April steht vor dem alten Ärzteschrank. Sie hatte den
Preis auf sechzig Euro heruntergehandelt, der Trans-
port vom Flohmarkt war kostspieliger gewesen. Die
untere Tür schließt nicht, in den Fächern befinden sich
Bücher, Zeitschriften, ein Tablett mit einer Zuckerdose,
das alte Tintenfass. Warum hat Ludwig es nicht mit-
genommen? April hat sein Zimmer eingerichtet: der
Tisch, an dem er arbeitete und der ausgezogen wird,
wenn Sam seinen Geburtstag feiert, der Schreibtisch-
stuhl, ein Regal mit leeren Fächern. Sie versucht, Ludwigs Anwesenheit zu spüren, doch da ist nichts. Sie
möchte ihm zurufen: Hör auf damit, lass es gut sein.
Doch diese Möglichkeit gibt es nicht mehr.

Sie hat das Gefühl, Sam sieht sie anders an. Wenn er mit seinem Vater telefoniert, geht er in sein Zimmer. April hat keine Ahnung, was die beiden besprechen. Sie fragt ihn nicht danach, obwohl sie es möchte. Sam rasiert sich eine Kopfhälfte kahl.

Aprils neue Tabletten in Verbindung mit Alkohol haben eine verheerende Wirkung bei ihr; sie beleidigt fremde Menschen, erwacht einmal frühmorgens auf dem Bürgersteig, zwei Straßen von ihrer Wohnung entfernt. Doch die Ohnmacht ist stärker als ihr Zorn. Die Tage haben keine Farbe. Ihre Atemzüge fühlen sich bleiern an. Sie hat das Gefühl, ihr Leben würde wie auf einem alten Foto langsam verblassen. Die Liste der verschwundenen Unterlagen wird immer länger: handschriftliche Briefe von Tilla Duriex an Ferdinand Sauerbruch, Originalskizzen der Sauerbruch-Hand, der Autopsiebericht von Präsident Kennedy mit Signatur Doktor Humes, Originalabhandlung der weltweit ersten Konferenz zur Organverpflanzung 1955, Joseph Listers Originalartikel über seine Methode der aseptischen Operation 1867; vertrauliche Notizen, Reden, Studien, Entwürfe – April kommt sich vor wie im Märchen vom süßen Brei und kein »Töpfchen steh« kann den Topf aufhalten.

Ludwig will sich mit ihr treffen. Er hat April eine wichtige Mitteilung zu machen, sie verabreden sich in einem Café. Sie setzt sich zu ihm an den Tisch und hat das Gefühl, einer Achterbahn entstiegen zu sein: Alles dreht sich. Innen an ihrem Hosenbund hat sie ein Aufnahmegerät befestigt. Sie weiß, das Gespräch wird keinen Bestand als Beweis vor Gericht haben, doch sie fühlt sich Ludwig dadurch weniger ausgeliefert und hofft, dass er sagen wird: Es tut mir leid.

Als April später die Aufnahmen abhört, ist es zuerst ihre eigene Stimme, die sie verstört: die Stimme einer Bittstellerin. Ludwig redet mit ihr, als wäre sie ein uneinsichtiges, verwirrtes Kind.

Er sagt: Selbst ein einziger Satz von mir, auf einem Stück Toilettenpapier geschrieben, darf nicht von dir vernichtet werden.

Sie hört die Geräusche überdeutlich, das Klappern von Geschirr, Stimmen, Ludwig bestellt noch einen Espresso, dann sagt er zum wiederholten Mal: ein richtiger Campus für unseren Sohn; seine Stimme hat den Beschwörungston angenommen.

Es geht um Sam. Er soll in ein Schweizer Eliteinternat.

Es fällt April schwer, sich das Gespräch weiter anzuhören.

Warum gerade dieses Internat, fragt sie.

Es ist die einzige Möglichkeit für Sam, sagt Ludwig.

Erst als sie ein anderes Internat in der Nähe vorschlägt, hört sie Ludwig sagen: Er wird vor Gericht gegen dich aussagen, wenn du nicht zustimmst.

Was soll er aussagen, fragt sie, und wie kannst du so etwas wollen?

Du hast die Wahl, sagt Ludwig.

Die Angst in ihrer Sprachlosigkeit ist laut hörbar, sie hält den Atem an, eine Ewigkeit, und spürt noch einmal, wie sich ihre Lippen bewegen, als ihre Stimme durch ihren leeren Kopf hallt und sie Ja sagt.

Tagelang versucht April den Gedanken zu akzeptieren, dass sie Sam verlieren wird. Sie ist enttäuscht, dass er die Gespräche mit seinem Vater vor ihr verheimlicht hat. Dennoch kann sie ihn verstehen: Wie lange ist es her, dass Sam so viel Aufmerksamkeit von Ludwig erfahren hat?

April erinnert sich, dass Ludwig ihr vor Jahren erzählt hat, er wäre auf einem Internat am Genfer See gewesen; es hat sie nicht beeindruckt, deshalb verschwand diese Lüge aus seinen Legenden.

––––––––––

Als sie aufwacht, ist das Zimmer aus Wasser. Traumreste spülen über sie hinweg. April hat Sam ins Internat gebracht. Ihre krankhafte Flugangst hat sie seit Jahren daran gehindert zu fliegen, auf dem gestrigen Rückflug ist sie froh über die Turbulenzen gewesen.

Sam will schon nach der ersten Woche nach Hause. Doch sie möchte es ihm nicht zu leicht machen, er muss verstehen, dass auch seine Taten Konsequenzen haben. Obwohl er klagt und Heimweh hat, will sie ihm nicht den einfachsten Ausweg anbieten. Sie verspricht ihm, dass er zurückkommen kann, aber zuerst muss er das Probehalbjahr abgeschlossen haben.

Sie hätte darauf vorbereitet sein können. Auf Ludwigs Krieg; doch Kriege passieren immer nur den anderen.

Er führt als Beweismittel auf, dass er in der Focus-Liste *einer der* zehn bedeutendsten Chirurgen Deutschlands genannt wurde.

Ludwig vermisst:

Ganzkörperfeuchtpräparat eines Zyklopen mit Spalthand

Die Richterin fragt nach Größe und Aussehen des Ärzteschrankes. Ludwig antwortet, April vervollständigt seine Antworten oder berichtigt sie. Wie groß das Glas mit dem Zyklopen sei, fragt die Richterin. Ludwig soll den Zyklopen beschreiben. Warum habe er sich über ein Jahr Zeit gelassen, diese wertvollen Dinge abzuholen? Und warum nur, das will der Richterin nicht einleuchten, habe er das hochbrisante biologische Material so lange ungesichert in dem Zimmer gelassen, das für Geburtstagsfeiern seines Sohnes genutzt wurde?

Was ist groß und weiß und rollt den Berg hinauf?

Sie trifft Ludwig in einem Café und macht ihm ein Angebot. Er kann sie mit einer Summe auszahlen, wenn er nicht in Revision geht. April nennt die Summe. Ludwig sieht sie an, als wäre sie ein ganz und gar anbetungswürdiger Mensch. Seine Augen füllen sich mit Tränen. Das würdest du tun, sagt er, du bist mein Goldstück, mein allerliebstes Goldstück.

Sie spürt Argwohn, Erleichterung, Scham. Sie kann sich nicht zurückhalten, ihn zu fragen, warum sie immer noch zu seinem Konto Zugang hat. Da siehst du mal, wie sehr ich dir vertraue, sagt er und beteuert aufs Neue seine Ergebenheit: Du bist mein Goldstück und wirst es immer bleiben.

April muss sich zusammenreißen, um nicht böse aufzulachen.

———

Sam ist wieder da. Am ersten Tag nach Abschluss des Probehalbjahrs hat sie ihn abgeholt. Ludwig ist enttäuscht von seinem Sohn. Das Internat war wie ein großes Versprechen gewesen, das den Vater an den Sohn gebunden hatte. Wie gern wäre Ludwig selbst auf dieses Internat gegangen, wäre mit den Schülern befreundet gewesen; Sam hätte es statt seiner leben können.

April weiß auf einfachste Fragen keine Antworten. Sie geht die Straßen entlang, ist gerührt von singenden Vögeln in den Bäumen, um gleich darauf knisternde Rachegedanken zu haben. Der Boden unter ihr ist brüchiger geworden. Die Luft riecht nach Gefahr. Was, wenn sie den Prozess nicht gewonnen hätte? Ludwig hatte ein ganzes Heer von Zeugen aufgefahren, die wissen mussten, dass er log, oder denen es egal war. Manche der Zeugen sind ihr nach wie vor unbekannt, sie ist ihnen nie begegnet. April spürt nichts außer Kälte, ihr Herz ein Loch, durch das der Wind pfeift. Sie entwickelt Marotten, Ticks, beißt in Chilischoten, um den einen Schmerz mit dem anderen zu vertreiben, sie hat immer eine Handvoll Schoten dabei. Sie wünscht sich Ruhe, Geborgenheit, eine Zuflucht und beschließt, einen zweiten Hund zu kaufen, einen Welpen, der sie braucht, um den sie sich kümmern kann.

Sie meldet sich auf eine Zeitungsannonce. In einer Neubausiedlung im zwölften Stock folgt sie einer mürrisch aussehenden Frau in die Küche. Der beißende Geruch nimmt ihr den Atem, Wellensittiche fliegen umher, ein schwangerer Teenager sitzt rauchend am Fenster.

Das ist der Letzte, sagt die Frau und reicht ihr ein zitterndes Bündel mit trockener Schnauze. Er hat Magenprobleme und die ganze Zeit nur Tapeten gefressen.

Am liebsten möchte April verschwinden, ohne den Welpen, doch sie bringt es nicht fertig. Sie nennt die kleine Hündin Penny. Eine schwarz-weiße Promenadenmischung mit leichtem Silberblick, die sich knurrend ihren Annäherungsversuchen entzieht. April denkt, dass sie dem Hund ähnelt, der ängstlich nach ihrer Hand schnappt und niemandem vertraut.

———

April streift mit All durch die versteckten Winkel ihrer Kindheit; sie wünscht sich, ihre Brüder zu sehen. Ihr Bruder Elvis reagiert zuerst auf ihren Brief. Er steht unangemeldet vor ihrer Wohnungstür, ein junger Mann, blondierte Haare, ein Goldkettchen auf der glatten Brust. Er geht durch ihre Wohnung, nimmt aufgeschlagene Bücher in die Hand, legt sie zurück, öffnet einen Schrank – sein Auftritt kommt ihr vor wie ein feindlicher Einmarsch. Er ist Immobilienmakler, kinderlos und redet ohne Unterlass. Er stellt ihr keine Fragen. Das ist also ihr kleiner Bruder, denkt sie, seinetwegen ist sie aus dem Kinderheim abgehauen, nach ihm hat sie sich vor Sehnsucht verzehrt.

Sie telefoniert mit ihrem Bruder Alex. Er hat einen Sohn, drei Jahre jünger als Sam. Sie verabreden eine gemeinsame Reise mit ihren Kindern. Als der Zug in

Verona einfährt, steht sie mit Sam am Fenster. Sie erkennt ihren Bruder sofort unter den Wartenden, sein Gesicht ähnelt einer Faust, die Zornesfalte ist so gewaltig, als wolle sie sein Gesicht spalten. Sie versucht ihre Anspannung zu überspielen. Als sie sich umarmen, sieht sie seinen Sohn aus dem Augenwinkel, er grinst verlegen, schneidet eine Grimasse.

Na, Schwester, sagt Alex, lange nicht gesehen.

Na, Bruder, antwortet sie.

Sam begrüßt seinen Cousin, sie geben sich die Hand wie zwei Erwachsene.

April und Alex fragen sich, wie lange ihre letzte Begegnung her ist. Obwohl sie es genau weiß, tut April so, als rechne sie nach. Zehn Jahre, sagt sie, zwanzig, dreißig.

Vierzig? Alex lacht schallend.

Das Eis ist gebrochen, sie nehmen ein Taxi, fahren zu dem Haus am Gardasee, das April für drei Tage gemietet hat. Alex hat langes Haar, zu einem Pferdeschwanz gebunden, die Naht am Hemdkragen hat sich gelöst, seine Fingernägel sind bis auf die Haut abgebissen. Noch im Auto will er von ihrer Mutter erzählen. Kein Wort über unsere Mutter, sagt sie.

Ich hasse sie auch, sagt Alex.

Nein, sagt sie, darum geht es nicht. Sie streckt die Hand aus dem geöffneten Fenster, atmet so, wie All es ihr beigebracht hat.

Alex starrt nach vorn, durch die Windschutzscheibe.

Im Rückspiegel betrachtet sie Moritz. Er ähnelt seinem Vater, so wie Sam ihr ähnelt. Obwohl Moritz jünger ist, reden sie munter miteinander, Moritz zeigt Sam seine Spiele auf dem Gameboy.

Im Haus angekommen, entdeckt Alex auf dem Garderobentisch sofort die Weinflasche neben dem Obstkorb. Mit der Flasche in der Hand nimmt er das Haus in Augenschein. Tolle Bude, ruft er.

Ja, sagt April und folgt ihm. Das Haus ist alt, keine Vorhänge an den Fenstern, grellweißes Licht gibt den Räumen etwas Kulissenhaftes. Sie öffnet ein Fenster, quer durch den großen, verwilderten Garten verläuft ein Stück rostiger Schienen, die Luft flirrt vor Hitze. Unkraut, Weizen, Glockenblumen, Margeriten, wie auf einem stillgelegten Bahnhof.

Hier möchte ich leben, sagt April, in so einem Garten.

Du hast das halbe Leben noch vor dir, sagt Alex.

Sie stellt sich ihr halbes Leben wie einen geteilten Apfel vor und muss lachen. Du kannst die Flasche öffnen, sagt sie, ich nehme auch ein Glas, und geht in die Küche. Über dem Herd hängt ein Stierschädel.

Gruselig, sagt Alex und greift sich mit beiden Händen an den Kopf, als wolle er ihn zurechtrücken.

April gießt sich Wein ein und sagt: Weißt du, was ich mir vorstelle, wenn ich an den Tod denke? All die Insekten, Spinnen, Fliegen, Mücken, die ich getötet habe, werden mich erwarten.

Auch gruselig, sagt Alex.

Sie weiß plötzlich nicht, worüber sie mit ihrem

142

Bruder reden soll. In der Speisekammer entdeckt Alex einen weiteren Vorrat an Weinflaschen, Nudeln, eingeweckten Köstlichkeiten.

Er beginnt zu singen, Lieder aus der Schule, das Vietnam-Siegeslied, und April stimmt ein.

Spät in der Nacht ist der Tisch gesäumt von leeren Weinflaschen und sie singen noch immer. Sam und Moritz haben sich verzogen, beobachten sie aus sicherer Entfernung. April prostet dem Mond zu, er trägt die Züge ihres Vaters, kurz darauf die einer vietnamesischen Freiheitskämpferin.

Am nächsten Morgen fühlt sich ihr Kopf an wie ein riesiger Ballon. Die Sonne hat alles in glühendes Orange getaucht. Als sie in die Küche kommt, sitzt Alex bereits am Tisch.

Guten Morgen, sagt sie, bist du auch so verkatert?

Aspirin oder weitertrinken, sagt Alex, ohne den Blick zu heben.

Aspirin habe ich schon, antwortet sie.

Na, dann trinken, sagt Alex.

April ist sich sicher, heute keinen Schluck herunterzubekommen.

Wenig später hält Alex ein Bier in der Hand. Stützbier, sagt er.

April will baden gehen, ihr Bruder im Haus bleiben. Ich halte die Stellung, sagt er.

Nach dem Schwimmen liegt sie mit Sam und Moritz im Sand. Das hat gutgetan, sagt sie. Ich bin dem Kater davongeschwommen.

Moritz fragt Sam, als wäre sie nicht dabei: Erzählt dir deine Mutter auch so komische Geschichten?

Die von Störtebeker?

Ja, genau die, und dass wir von einem ungarischen Husaren abstammen würden.

Schade, sagt Moritz, ich hätte meinen Opa gerne kennengelernt.

Er war Trinker, sagt Sam.

Ja, aber auch ein Künstler, er hat Segelschiffe gemalt.

Vielleicht werde ich Maler, sagt Sam.

Dann fragt Moritz: Was ist groß und weiß und rollt den Berg hinauf?

Als Sam nicht antwortet, sagt er: Eine Lawine, die Heimweh hat.

Abends hat Alex gekocht, der Tisch ist gedeckt; gebratener Fisch mit Rosmarinkartoffeln. Ich wusste gar nicht, dass du kochen kannst, sagt April.

Oh, du weißt 'ne Menge nicht. Sein Atem riecht nach Alkohol. Moritz und Sam vergleichen ihre Körperbräune, Moritz hat einen Sonnenbrand. April zieht sich einen Pullover über, obwohl das Thermometer über dreißig Grad zeigt.

Nach dem Essen will Alex noch in den Ort. Da gibt es eine Bar, sagt er. Jungs, ihr kommt ohne uns klar? Moritz und Sam nicken überaus rhythmisch, scheinen erfreut.

In der Bar bestellt Alex sofort zwei doppelte Wodka. April hat die Arme vor der Brust verschränkt. Sie fragt sich, warum sie hier sitzt. Hat sie nicht genug mit sich

144

selbst zu tun? Alex sieht nach vorn in den Spiegel, während er das zweite Glas austrinkt. Auf meine Schwester, ruft er und bläst Zigarettenrauch in die Luft.

Die anderen Gäste reagieren nicht, und sie bestellt ein Glas Wein, er den nächsten Wodka.

Hältst du mich für schlecht, bloß weil ich trinke?

Was soll sie sagen? Ihr Kopf ist leer. Sie nimmt das Glas vom Barkeeper entgegen, sieht Alex an: Auf was wollen wir trinken?

Auf uns, sagt er und beginnt nun doch von ihrer Mutter zu erzählen. Er hat sie vor einem Jahr besucht. Sie ist sonderbar geworden, sagt er, steht hinterm Zaun, beschimpft die Nachbarskinder. Weißt du noch, wie sie uns erschreckt hat?

April zuckt die Achseln, zündet sich eine Zigarette an.

Wie sie nachts mit einem Nylonstrumpf über dem Kopf in unser Zimmer gekommen ist?

Nein, sagt sie, obwohl sie sich genau erinnert: das Gesicht ihrer Mutter eine Fratze, das Tränen lachte über die Angst ihrer Kinder.

So gruselig war das, sagt er.

Die Nacht endet mit einem Spaziergang. Auf der Straße schleudert Alex betrunkene Worte in Richtung Himmel. Dann springt er unvermittelt eine Böschung hinunter und brüllt: Du liebst mich nicht! Sie wartet, bis er wieder hochkommt. Er rennt eine Weile vor ihr her, springt noch mal die Böschung hinunter: Aber ich liebe dich. Das ist die Wahrheit, ruft er. Der Morgen zieht auf, und er läuft immer noch, ich liebe dich, schreit er, ich liebe dich.

Eine Woche später, als sie in der S-Bahn sitzt, denkt sie, er hat recht gehabt: Sie liebt ihren Bruder nicht. Selbst wenn sie ihn lieben könnte, es wäre immer zu wenig. Sie spürt Mitleid mit ihm und sich selbst. Zu ihren Füßen sitzen Penny und Hugo, sie kommt aus dem Grunewald. Ihr gegenüber hält eine ältere Frau einen Mops auf dem Schoß, der Anblick hat etwas Intimes und gleichzeitig Abstoßendes. Die Hündin, die Pfoten von sich gestreckt, fiept ungeduldig, während die Frau versucht, das Tier zu beruhigen, indem sie den Bauch der Hündin und ihr Geschlecht streichelt. Sie wird Alex nicht mehr treffen, er erinnert sie zu sehr an ein Leben, von dem sie hofft, es hinter sich gelassen zu haben. Ist das überhaupt möglich? Bei Tieren nennt man es Prägung, denkt sie und beobachtet, wie die Hündin das Gesicht der Frau ableckt. Sie spürt Tränen aufsteigen, versucht nicht losheulen und knetet ihre Hände. Der Himmel hat sich verdunkelt, Regentropfen schlagen an die Fensterscheiben; kurz streift sie der Gedanke, sie wäre Gott – sie würde die ganze Welt einregnen mit ihren Tränen, dann Donnerschläge hinterherschicken. Sie muss nun doch losheulen. Die Frau lächelt sie an, und April wünscht sich, sie würde es nicht tun. Sie reicht ihr ein Taschentuch und sagt: Es geht vorbei, glauben Sie mir, es geht immer vorbei.

Die Sache mit den Graugänsen

Die letzten Monate hat sie mit Tony Soprano und seiner Familie verbracht, hat mit ihnen gegessen und getrunken. Sie mietet eine Karaokekabine, brüllt Songs aus ihrer Jugend und zerbeißt Chilischoten. Sie erinnert sich, wie ihr Stiefvater, der Schallplatten sammelte, sie für ihren Musikgeschmack lobte, da war sie vierzehn; das bedeutete ihr viel. In der Schule war sie die Schnellste im Langstreckenlauf, kletterte auf die höchsten Bäume, im Konsum klaute sie wie eine Meisterdiebin. Sie war frech, vorlaut, nahm es mit dem größten Halunken auf, doch nun übersteigt einfaches Innehalten ihren Mut.

Wenn Sam seinen Vater besucht, ist sie froh, dass sie sich gehen lassen kann. Sie liegt stundenlang auf dem Boden und hört sich atmen.

Einmal hat Ludwig sie angerufen und ihr nuschelnd mitgeteilt, er habe Mundkrebs, wie Freud. Wochen vergehen, hier und da spürt sie Hoffnung, obwohl die

Anspannung sich nur löst, wenn der Aschenbecher überquillt und die Weinflasche leer ist.

———————

April geht die Treppen zu ihrer Wohnung hinauf, sieht vor der Tür die Schuhe von Sams Freunden. Es ist ein warmer, sonniger Tag, Sam feiert seinen vierzehnten Geburtstag. Seine Freunde sitzen schon auf der Terrasse. Das Wort *chillen* hat gerade Hochkonjunktur, bei jeder Gelegenheit wird es ausgesprochen, auch wenn die Jungen ganz und gar nicht gechillt aussehen. April und Sam haben eine Liste von Wörtern, die sie nicht mögen. Sam verdreht die Augen, wenn jemand sagt: *Ich mach mich mal schlau.* April mag das Wort *mäßig* nicht. *Essensmäßig mach ich mich mal schlau,* sagt sie, wenn sie Sam zum Lachen bringen will. Beide mögen nicht, wenn jemand mit der Hand die Geste »Wir telefonieren« macht.

Victor diskutiert gerade mit Marek über die richtige Zubereitung von Pelmeni. April kann sich nicht erinnern, in Sams Alter über Kochen oder Rezepte nachgedacht zu haben. Seine anderen Freunde spazieren tranig an ihr vorbei, umarmen Sam und stoßen laute Rufe aus, als müssten sie ihr Revier markieren. Sie hören Musik, reichen die Kopfhörer weiter. Sam hat sich eine Glatze rasiert. Er hat schon alle möglichen Frisuren ausprobiert: Iro, Dreadlocks, Rattenschwanz, Bürstenschnitt. Seine Freunde holen heimlich ihre mitgebrachten Bierdosen hervor; April bemüht sich, ihre kaltschnäuzigen Angebersprüche zu ignorieren, selbst wenn Daggi *aufschlägt* – auch so ein Wort, das gerade probiert wird –, bleiben sie bei ihrer derben Sprache. Die Antwort ihres Psychologen: überhören. In dieser Welt der Jungs habe sie nichts zu suchen, es sei eine vorübergehende Sache, könne aber auch Jahre andauern.

Sam hat seinen Vater eingeladen. Ludwig geht mit federnden Schritten durch die Wohnung, probiert ein Lächeln, das ihre Anspannung vertieft. Er redet mit ihr, als hätte es den Scheidungskrieg nie gegeben. Sam hat sich einen Hut aufgesetzt, und plötzlich sind lauter wohlerzogene Jungs auf der Terrasse, stellen sich auf Ludwigs Späße ein und beantworten seine Fragen. Vater und Sohn bedienen sich aus dem Fundus der jahrelang erprobten Witze, die nur Eingeweihte verstehen, doch die Gäste lachen. Ludwig überreicht Sam einen Zettel, auf dem steht, was er ihm schenkt: eine Reise seiner Wahl. Du kannst auf die Seychellen, nach China, wohin du willst, sagt er.

Danke, erwidert Sam.

Das wird bald eine Weltreise, du hast ihm schon vier Urlaube geschenkt, sagt sie und hätte gerne etwas Albernes getan oder gesagt, um den Satz zurückzunehmen, aber er entgegnet: Dann bekommt er eben eine Weltreise, ist doch lustig. Das *ist doch lustig* erinnert sie an Ludwigs Mutter, trotzdem erkundigt sie sich nicht nach ihr. Willst du Kaffee, fragt sie stattdessen.

Manchmal, wenn sie etwas Besonderes erlebt hat, stellt sie sich vor, es Ludwig zu erzählen. Dieser Gedanke erscheint ihr jetzt absurd. Sie sieht, dass er sich die Zähne hat richten lassen, sie muss lachen, und er fragt nicht, warum.

Als sie spätabends die Tür zu Sams Zimmer öffnet, bemerkt sie sofort den süßlichen Geruch. Während die anderen Jungs sie aus dem Halbdunkel anstarren, versucht Sam die Flucht nach vorne, hält ihr den Joint hin. Musst du auch mal probieren. Als hätte sie noch nie einen Joint geraucht. April hält nicht viel von Gras, es macht sie nur müde. Natürlich hat sie mit Sam über Drogen geredet, und sie weiß auch, sie sollte jetzt Grenzen setzen; doch sie nimmt den Joint, zieht den Rauch so tief wie möglich ein, sagt ausatmend: Das wird nicht die Regel. Die Jungs sind beeindruckt, sie lässt es zu und freut sich darüber, obwohl es ein billiger Trick ist, sich so in ihre Herzen zu schleichen.

———————

Sams Stimmbruch kommt über Nacht. Eine dunkle Stimme krächzt April morgens an, auch er erschrickt, als hörte er sich selbst, die Stimme verfremdet durch eine Art Fehlinformation. Wenn sie ihn umarmt, steht er mit hängenden Armen vor ihr und lässt es wie etwas Unvermeidliches über sich ergehen. Zärtlichkeiten werden mit den Hunden ausgetauscht. Kommt er nach Hause, wirft er sich auf den Boden, um sich von Hugo und Penny zur Begrüßung ablecken zu lassen. Seine Freunde besuchen ihn täglich, und April mag es, wenn sie eintrudeln, fragen, was es zu essen gibt, und am Tisch tratschen wie alte Tanten. Es gibt auch Tage, da pfeift sie Sam nach hinten in ihr Zimmer und hält ihm wütende Predigten über seine Schlampigkeiten, vergessene Hausaufgaben und dies und das. Regeln aufzustellen fällt April nicht schwer, sie durchzusetzen ist anstrengend. Sam wickelt sie um den kleinen Finger, er kennt so viele Fluchtmöglichkeiten, und April ist korrumpierbar.

Sie wünscht sich, dass sie gemeinsam abwechselnd in einen Film ihrer Wahl gehen, und so sieht Sam sich »Darwins Alptraum« an, und sie streift mit Eminem in »8 Mile« durch das triste Film-Detroit.

Sam besteht darauf, dass sie sein Zimmer nicht mehr betritt, er brauche seine Privatsphäre.

Sie versucht, seinen Willen zu respektieren, auch als sie es in seinem Zimmer laut rumoren hört.

Was ist da los, fragt sie.

Ich baue einen Flugsimulator, antwortet Sam. Das war doch dein Wunsch, dass ich was Sinnvolles mache.

Gut, erwidert sie. Aber was ist ein Flugsimulator?

Er wirft ihr einen genervten Blick zu.

Erklär es mir trotzdem, sagt sie.

Sam seufzt laut. Ein Flugsimulator, Mama. Was stellt man wohl damit an?

Einmal nachmittags sieht sie Sam auf der Straße einen großen vollbeladenen Einkaufswagen aus dem Baumarkt hinter sich herziehen. Es ist August, die Miniermotte hat auf den Kastanienblättern braune Flecken hinterlassen, der Himmel sieht aus wie ein opalfarbener See, der zwischen den Häusern hängt. Sam ist ihr Sohn und zugleich ein anderer; ihr kommt ein junger Mann entgegen, der unterwegs ist. Als er vor ihr steht, verschwindet das Unterwegssein, Sam ist nur noch Sam, ihr Sohn. Er schwitzt. Kartons liegen auf seinem Wagen.

Wo kommst du her, fragt sie.

Flugsimulator, entgegnet er, als wäre das eine Antwort.

Als sie sich die Kartons näher ansehen will, ruft er: Vorsicht, das ist total empfindlich.

Wo kommst du her, wiederholt sie.

Er macht eine vage Handbewegung Richtung Süden. Hornbach, sagt er.

Das ist weit, zu weit. Bist du den ganzen Weg gelaufen? Quer durch die Stadt? Herr im Himmel. Hast du den Wagen geklaut?

Alles gut, beruhigt sie ihr Sohn, und ja, der Wagen ist geklaut.

Sie hilft ihm, die Kisten nach oben zu tragen, stellt sie vor seiner Zimmertür ab. Auf eine gewisse Art ist sie stolz auf Sam, der solche Anstrengungen für seinen Flugsimulator auf sich nimmt. In den nächsten Tagen liefert der Postbote noch einige Pakete. Aus Sams Zimmer ist lautes Klopfen und Sägen zu hören. Seine Freunde gehen an ihr vorbei, sehen sie nicht an, als wäre es ihnen peinlich – geheimnisvoll die ganze Sache.

Als Sam bei Ludwig übernachtet, regnet es nicht nur, Sturzfluten ergießen sich vom Himmel. Das Geräusch des Regens gibt ihr sonst ein Gefühl von Geborgenheit. Doch in dieser Nacht springt sie aus dem Bett, weil Sam sein Fenster manchmal offen lässt. April wird klatschnass, als sie das Fenster schließt, sie holt einen Eimer und wischt den Boden auf. Inzwischen blitzt und donnert es, und dann sieht sie alles: die jungen Cannabispflanzen, silberne Rohre, eine Holzwand mitten im Raum, und ihr wird klar, dass sie es geahnt hat und nicht wahrhaben wollte. Nach einer schlaflosen Nacht ruft sie Victor, Marek und Daggi an und beordert sie mit strenger Stimme zu sich. Schuldbewusst stehen sie vor der Tür, versuchen gar nicht erst, sich zu verteidigen, sitzen reumütig auf dem Sofa in Sams Zimmer und harren aus. Als ihr Sohn nach Hause kommt, folgt sie ihm, als er seine Zimmertür hinter sich schließen will. Sprachlos bleibt er vor seinen Freunden stehen.

Wir machen keine große Party draus, sagt April. Ihr habt bis zum Abend Zeit, das Zimmer in Ordnung zu bringen.

Sam fügt sich kleinlaut. Wo soll das hin, fragt er und deutet auf die Anlage.

In die Mülltonne, antwortet April.

Aber, sagt Sam.

Kein Aber, sagt April.

Einmal ruft Mareks Mutter an. April versteht zuerst nicht, was sie sagen will. Die Mutter versucht ihr zu erklären, dass es nicht gut ist, wenn Marek bei Sam übernachtet.

Was stört dich daran, fragt sie.

Sie schlafen in einem Bett, erwidert Mareks Mutter.

Das Bett ist groß, sagt April. Wo ist das Problem?

Mareks Mutter beginnt atemlos zu reden. Ob April nicht Konrad Lorenz kenne. Die Sache mit den Graugänsen. Wenn Marek morgens die Augen öffnet und Sam sieht, wird er von ihm geprägt. Ob sie das nicht bedacht habe?

Langsam beginnt sie zu begreifen. Mareks Mutter befürchtet, dass ihr Sohn schwul werden könnte. April zieht das Gespräch vergnügt in die Länge. Sie freut sich über die Graugänse, auf die Mareks Mutter immer wieder zurückkommt. Sie versucht ihr zu erklären, dass die Prägung nur in den ersten Minuten nach der Geburt erfolgt. Marek hat *dich* gesehen, als er geboren wurde, sagt sie.

Aber jetzt sieht er Sam.

Was ist schlimm daran?

Wie soll er das verarbeiten?

Es werden mehr und mehr Schuhe vor der Wohnungstür, aus dem Zimmer ihres Sohnes dringt ein Gewirr von Stimmen und Gitarrenklängen. Sie freut sich, Sams Freunde zu sehen, doch manchmal wird es ihr zu viel. Es ist Schwerstarbeit, wenn sie versucht, ihm Grenzen zu setzen; er sitzt bis Mitternacht vor dem Computer, beginnt eigene Videos zu drehen, die er ihr stolz vorführt.

Bei den Elternabenden in der Schule beteuern die Eltern, ihre Kinder würden niemals kiffen; doch sie wissen nicht, dass ihre Kinder Gäste bei Sam sind. April fragt sich, was sie falsch macht. Doch inzwischen weiß sie: Sam ist richtig. Er macht Fehler. Sie macht Fehler.

Manchmal steht sie auf dem Balkon und beobachtet, wie Sam und seine Freunde das Haus verlassen, schon die ersten Schritte ohne ihren Blick sind anders. Sie verwandeln sich, gleiten, schweben, stampfen, als hätten sie einen anderen unsichtbaren Boden unter sich.

Sie denkt oft an Julius. Sie ist beschämt und sprachlos über ihre Fehler, begreift erst jetzt, wie wenig Verständnis sie für ihn hatte. Wenn sie doch nur die Zeit zurückdrehen könnte; ein kindischer Gedanke, ähnlich dem, alt und erfahren in einem jungen Körper zu sein. Sie war noch nicht entlassen aus ihrer furchtbaren Kindheit, als sie selbst Mutter wurde. Die Schuldgefühle: geschärfte Widerhaken beim Ein- und Ausatmen. Sie verstellen den Blick, sind warme Lumpen, in denen man sich einrichtet, sagt All. Sie schickt Julius Pakete zum Geburtstag, Kindertag, Weihnachten, am liebsten würde sie noch mehr Geschenktage für ihn erfinden. Sie möchte mit Julius über ihr Versagen reden. Sie sprechen über Filme und Bücher.

Wie soll sie ihm Geborgenheit geben, die sie selbst nicht empfindet.

Das sei nicht ihre Aufgabe, hat ihr All gesagt.

Was dann?

Für ihn da sein, so wie sie es kann.

———

Hugo liegt stumm auf dem Boden und starrt sie an. Als Sam aus der Schule kommt, springt Penny freudig an seinen Beinen hoch, Hugo rührt sich nicht. Erst da bemerkt sie, dass mit dem Hund etwas nicht stimmt. Sam hockt sich auf die Knie und untersucht ihn. Er sieht zu seiner Mutter: Was ist mit ihm?

Keine Ahnung. Aber du hast recht, er ist zu ruhig.

Er sieht traurig aus, sagt Sam. Sein Ton wird zärtlich: Braver Hund. Was ist los mit dir?

April hält ihm ein Stück Wurst hin. Er schnappt nicht danach. Seine Nase ist feucht und kalt.

Sam streicht ihm übers Fell. Seine Schnauze, ruft er. Er bekommt sein Maul nicht auf. Sie untersuchen den Hund und entdecken, dass ein Knochen quer in seinem Maul steckt.

April fällt ein, dass frühmorgens Knochenreste aus der Abfalltüte auf dem Küchenboden verstreut lagen. Nach mehreren erfolglosen Versuchen, den Knochen aus der Hundeschnauze zu entfernen, gehen sie zum Tierarzt. Er hat noch ein ganzes Hundeleben vor sich, sagt der Tierarzt zum Abschied, das war keine große Sache.

Es gibt Momente, da spürt sie eine Verbindung mit sich und dem Leben. April erinnert sich, wie sie als Kind eine Nacht in einer Hundehütte verbracht hat, neben sich das große atmende Tier, sie erinnert sich an das laute, klopfende Geräusch, und sie weiß bis heute nicht, war es ihr Herz oder das des Hundes. Einmal träumte sie von Ludwig. Er schenkte ihr einen schönen Füller und als sie ihn aufdrehte, sah sie, dass die Feder weit gespalten war. April grübelt über den Traum nach und es fällt ihr eine Episode aus ihrer Kindheit ein: Siebenjährig saß sie allein auf der Schulbank, hinter ihr zwei blonde bezopfte Mädchen. Die Schrift der Freundinnen war makellos, ihre Füller wunderschön. In der Pause nahm April beide Füller und verbog die Federn. Ihre Genugtuung über die entsetzten Schreie der Mädchen hielt nicht lange an, die tintenverschmierten Hände verrieten April. Sie bekommt das Bild von dem wütenden Kind, das sie war, nicht aus dem Kopf. Sie erinnert sich an die Tage im Krankenhaus, als ihr Blinddarm entfernt wurde. Der Lügenblinddarm, wie sie ihn später nannte. Sie hatte die Wette gewonnen, dass man ihr den Bauch aufschneidet; dafür hatte die Narkose erst sehr spät gewirkt. April kann sich zum ersten Mal vorstellen, darüber zu schreiben. Kurz taucht Ludwigs Gesicht vor ihr auf, sein Lachen, hinter dem noch eins zu stecken scheint, und sie sieht sich, wie sie heimlich aberdete bei seiner ersten Lüge. Bereit, ihn zu verraten? Ihn zu lieben? Ihm zu verzeihen? Sie stellt sich vor, sie hätte nicht Zeige- und Mittelfinger hinter ihrem Rücken gekreuzt. Was wäre geschehen? Es hätte nichts geändert. Das sind bloß sie, zwei Menschen, Mann und Frau. Sein Gesicht schrumpft, wird kalt. April streckt die Hand aus, doch sie kann ihn nicht mehr erreichen. Nächte später sieht sie ein Mädchen vor sich, in einem Mietshaus am geöffneten Fenster, sie erkennt einen dünnen Kinderarm, der Arm holt aus, und dann fliegt Scheiße durch die Luft. Das Mädchen ist noch namenlos und ohne Schutz. Das wird mein erster Satz sein, denkt sie. *Scheiße fliegt durch die Luft.*

Mein Dank gilt

Petra Eggers, Mathias Gatza, Dirk Geisler,
Axel Hahn, Thomas Hettche, Kerstin
Lohse, Helge Malchow, Christine Marth,
Nadine Meyer, Olaf Petersenn, Adrienne
Schneider, Torsten Schulz, Jan Valk
und der Familie Schröder.

Angelika Klüssendorf. Das Mädchen. Roman.
Gebunden. Verfügbar auch als E-Book

Angelika Klüssendorf. April. Roman. Gebunden.
Verfügbar auch als E-Book

Angelika Klüssendorf er-
zählt die ergreifende Ge-
schichte von einem jungen,
starken Mädchen, das sich
herausarbeitet aus allem,
was sie umgibt und quält,
und die eines gelernt hat:
Man muss sich holen, was
man braucht.

»Angelika Klüssendorf versteht es meisterlich, in so-
zialem Elend ästhetische
Perlen zu finden.« *NDR*

Eine junge Frau, die sich April nennt und nur eines will:
endlich ein selbstbestimm-
tes Leben führen. Ihre Suche
nach einem Weg aus der
scheinbar ausweglosen Vergangenheit führt April ins
Leipzig der späten 70er und
ins West-Berlin der 80er-
Jahre.

»Der Sog dieser Prosa ist
enorm.« *Volker Hage, Der
Spiegel*

Kiepenheuer
&Witsch